Antes de dar el "Sí"

MANUAL DE ORIENTACION PREMATRIMONIAL

José Luis Martínez

Editorial Mundo Hispano

EDITORIAL MUNDO HISPANO

Apartado Postal 4256, El Paso, TX 79914 EE. UU. de A.

Agencias de Distribución

ARGENTINA: Anchorena 1078, 1834 Temperley, Buenos Aires, Tel/Fax: (541)245-4565; Rivadavia 3464, Casilla 48, Suc. 3, 1203 Buenos Aires, Teléfonos: (541)88-8924, (541)88-8938. **BOLIVIA:** Casilla 2516, Santa Cruz, Fax: (59)1-342-8193. **BRASIL:** Caixa Postal 320 CEP 2001, Río de Janeiro, Tel.: (552)1-269-0772. **COLOMBIA:** Apartado Aéreo 55294, Bogotá 2, D.C., Tel.: (57)1-287-8602, Fax: (57)1-287-8992. **COSTA RICA:** Apartado 285, San Pedro Montes de Oca, San José, Tel.: (506)225-4565, Fax: (506)224-3677. **CHILE:** Casilla 1253, Santiago, Tel/Fax: (562)672-2114. **ECUADOR:** Casilla 3236, Guayaquil, Tel.: (593)4-455-311, Fax: (593)4-452-610. **EL SALVADOR:** Apartado 2506, San Salvador, Fax: (503)218-157. **ESPAÑA:** Padre Méndez #142-B, 46900 Torrente, Valencia, Tel.: (346)156-3578, Fax: (346)156-3579. **ESTADOS UNIDOS:** 7000 Alabama, El Paso, TX 79904, Tel.: (915)566-9656, Fax: (915)565-9008; 960 Chelsea Street, El Paso TX 79903, Tel.: (915)778-9191; 3725 Montana, El Paso, TX 79903, Tel.: (915)565-6234, Fax: (915)726-8432; 312 N. Azusa Ave., Azusa, CA 91702, Tel.: 1-800-321-6633, Fax: (818)334-5842; 1360 N.W. 88th Ave., Miami, FL 33172, Tel.: (305)592-6136, Fax (305)592-0087; 8385 N.W. 56th Street, Miami, FL 33166, Tel. (305)592-2219, Fax (305)592-3004. **GUATEMALA:** Apartado 1135, Guatemala 01901, Fax: (5022)530-013. **HONDURAS:** Apartado 279, Tegucigalpa, Tel. (504)3-814-81, Fax: (504)3-799-09. **MEXICO:** Apartado 113-182, 03300 México, D.F., Tels.: (525)762-7247, (525)532-1210, Fax: (525)672-4813; Madero 62, Col. Centro, 06000 México, D.F., Tel/Fax: (525)512-9390; Independencia 36-B, Col. Centro, Deleg. Cuauhtémoc, 06050 México, D.F., Tels.: (525)521-0206, (525)521-6206, Fax: (525)512-9475; Matamoros 344 Pte., 27000 Torreón, Coahuila, Tel.: (521)712-3180; Hidalgo 713, 44290 Guadalajara, Jalisco, Tel.: (523)613-8767; Félix U. Gómez 302 Nte. Tel.: (83)8-342-2832, Monterrey, N. L. **NICARAGUA:** Apartado 2340, Managua, Tel/Fax: (505)2-784-927. **PANAMA:** Apartado 87-1024, Panamá 5, Tel.: (507)64-64-69 Fax: (507)28-46-01. **PARAGUAY:** Casilla 1415, Asunción, Fax: (595)2-121-2952. **PERU:** Apartado 3177, Lima, Tel.: (511)4-24-7812, Fax: (511)4-40-9828. **PUERTO RICO:** Calle 13 S.O. #824, Capparra Terrace, Tel.: (809)783-7056, Fax: (809)781-7986; Calle San Alejandro 1825, Urb. San Ignacio, Río Piedras, Tel.: (809)764-6175. **REPUBLICA DOMINICANA:** Apartado 880, Santo Domingo, Tel.: (809)565-2282, Fax: (809)565-6944. **URUGUAY:** Casilla 14052, Montevideo, Tel.: (598)2-394-846, Fax: (598)2-350-702. **VENEZUELA:** Apartado 3653, El Trigal 2002 A, Valencia, Edo. Carabobo, Tel/Fax: (584)1-231-725, Celular (581)440-3077.

Ediciones: 1989, 1991
Tercera edición: 1995

Clasificación Decimal Dewey: 362.82

Temas: 1. Orientación para el matrimonio
2. Matrimonio

ISBN: 0-311-46118-2
E.M.H. Art. No. 46118

1.5 M 9 95

Printed in U.S.A.

Reconocimientos

Un libro no florece así como así, como por generación espontánea. Es, frecuentemente, el resultado de una necesidad vista o sentida por alguien, de intensa lectura, de seria reflexión sobre el tema, de experimentar con las ideas y de repensar y reescribir varias veces el manuscrito.

Mis lecturas fueron muchas, pero los autores que más influyeron sobre mí en este campo fueron David y Vera Mace, y H. Norman Wright. Ellos son, en mi opinión, de los primeros en tocar estos temas y los que más y mejor han escrito sobre los mismos. Wayne Mack ha escrito también un excelente libro en inglés sobre el tema, el cual me ayudó bastante. Otros autores se les notaba que seguían de cerca o de lejos tras las pisadas de los anteriores.

Cualquier lector que conoce bien esta área de la práctica pastoral va a reconocer pronto que he bebido en dichas fuentes. Y es cierto. He asimilado bastante de sus ideas, conceptos, enfoques y hasta, seguramente de manera ya inconsciente, los estoy expresando en formas parecidas. Pero este fruto posee entidad y características propias que le hacen diferente.

También, durante los últimos ocho años, como pastor o como conferenciante invitado, he estado experimentando de varias maneras con estas ideas y métodos entre las comunidades bautistas del gran núcleo urbano que forman las poblaciones de Ciudad Juárez y El Paso, con gran mayoría de hispanos.

Toda esta riqueza asimilada de conocimientos e ideas procedentes de varias fuentes y de experiencias prácticas vividas personalmente, se han ido combinando de tal manera que se han producido las condiciones propicias para que este libro pudiera gestarse y nacer. A todos aquellos que de alguna manera contribuyeron con sus ideas e inspiración a la creación de este libro les reconozco su inestimable aportación y les agradezco la siembra de semillas preciosas que hicieron en mí.

Otros colegas lo revisaron y criticaron sin piedad. Gracias a ellos ha salido mucho mejor de lo que yo era capaz de hacerlo salir. Les quedo también agradecido por tan valiosa contribución.

Dedicatoria

A VIOLETA
Esposa fiel y madre ejemplar
con la que voy aprendiendo
el arte de ser feliz
y hacer felices a los demás.

Indice

Prólogo

Poco se hizo durante mucho tiempo para ayudar a las parejas que se proponían contraer matrimonio. Y lo que se estaba haciendo hasta ahora frecuentemente llegaba tarde. Se intentaba apagar el fuego cuando las llamas salían por todas partes y el mundo interior del hogar estaba casi destruido. Las parejas mismas colaboraban con esta lamentable situación permitiendo que las llamas de las desaveniencias los devoraran en silencio. No se abrían, ni pedían ayuda, ni aceptaban que nadie penetrara en su intimidad para ayudarles a apagar el fuego.

Todo lo que se requería en el pasado para que una pareja pudiera casarse era que cumplieran con los requerimientos legales. Nadie parecía interesado en ofrecer o demandar la orientación prematrimonial. En la mayoría de los casos sólo se solicitaba a los novios unos minutos para explicarles lo que se iba a hacer y otros pocos minutos para ensayar la ceremonia en el templo. El único diálogo más amplio estaba relacionado con el arreglo floral en el santuario. Se prestaba poca atención a la *calidad de la relación*. Y como a lo largo de la historia de la cultura cristiana, una vez que el lazo se ataba era casi imposible desatarlo, muchas parejas vivieron en un infierno sin que nadie les ayudara a salir de él.

Gracias a Dios, todo esto está cambiando rápidamente. La idea de la atención a la familia y de la capacitación para el matrimonio es cada vez más predominante en nuestros días. Y las iglesias y los pastores prestan más atención al ministerio de aconsejamiento prematrimonial, porque es por ahí por donde hay que empezar.

Afortunadamente, según mi información recogida en conversaciones directas con consejeros en casi todo el mundo

7

hispano, muchas parejas aceptan ya de buen grado el participar en sesiones de orientación y capacitación antes del matrimonio. Son muchas las que lo buscan por sí mismas, mostrando con esta actitud una aguda conciencia de lo mucho que está en juego y un sentido de responsabilidad admirable. Otras no se muestran particularmente entusiasmadas; pero no se oponen, pensando que quizá no sea demasiado aburrido hablar de esas cosas.

Otras parejas sí que se resisten. Son aquellas que sólo ven a la iglesia y al ministro como una especie de "mal necesario". Consideran la ceremonia en el templo como una conveniencia social o condicionamiento cultural que hay que tolerar; algo que hay que incluir para que la fiesta resulte más completa y para que nadie se moleste. Le están pidiendo al pastor que oficie en la ceremonia, que sea simplemente parte de una decisión ya tomada. Los ministros no deberían permitir que nadie les maneje ni les rebaje de esa manera.

El pastor debe recordar, y los novios saber, que el ministro de Dios no está para sólo oficiar en la ceremonia, sino también para ayudar a que se conozca el consejo de Dios para cada situación de la vida.

Otras parejas ponen cara de asombro, como preguntándose qué tendrán que enseñarles a estas alturas. Participan un poco a regañadientes y con aire de sabérselas todas, pero pronto descubren que todavía hay mucho que aprender.

Toda persona responsable se siente preocupada por el incremento alarmante de la crisis familiar y de la delincuencia juvenil. Sentimos la necesidad de examinar seriamente la situación y de buscar las soluciones apropiadas. No soñamos con tener familias libres de tensiones, conflictos y desavenencias, pues eso no es real. Como alguien dijera: "No es posible para una pareja de pecadores vivir, crecer y madurar juntos sin que aparezcan, tarde o temprano, de una u otra forma, las dificultades y los desacuerdos. Pero a medida que aprendemos a enfrentar los problemas y buscar juntos y con sinceridad su solución, nuestras relaciones quedan inmensamente fortalecidas."

La relación matrimonial es la más importante de todas las relaciones. Ella constituye la base de la familia. Prestarle atención y apoyo a las relaciones matrimoniales es procurar el bien de toda la familia, la estabilidad de las iglesias y el bien social.

Alguien seriamente preocupado por la delincuencia juvenil, escribió de esta manera: "No es posible resolver los problemas de los jóvenes sin ayudar a sus familias a crecer y madurar. Y tampoco se puede hacer mucho por las familias si antes no se ayuda y apoya al matrimonio. Es una cadena: la salud de la relación matrimonial transmite salud a la familia, y la condición saludable de la familia produce jóvenes estables, disciplinados y bien adaptados." No se puede hacer un diagnóstico más agudo y acertado de la situación actual.

Esta pequeña obra no pretende ser una panacea que remedie radicalmente esa gran necesidad actual. Sólo pretende cooperar eficazmente a su solución atacando el problema en su raíz: la orientación prematrimonial. Si las parejas jóvenes son capaces de dialogar *antes de la boda* con franqueza, inteligencia y en profundidad, con la ayuda de un consejero experto y sabio, sobre las áreas esenciales de la futura vida matrimonial, y llegan a mutuos entendimientos sobre lo que esperan el uno del otro, se ahorrarán muchas tensiones, lágrimas y sufrimientos. La vida ya de por sí nos va a traer sus dificultades; no le agreguemos más amargura a causa de nuestra ignorancia o insensatez. Y si a pesar de todo nos vemos envueltos en las pruebas y conflictos no desesperemos, pues el Señor nos ha prometido: "Me invocará, y yo le responderé; con él estaré yo en la angustia; lo libraré y le glorificaré. Lo saciaré de larga vida, y le mostraré mi salvación" (Sal. 91:15, 16).

A la hora de escribir estas páginas estoy pensando ante todo en las parejas de novios que están considerando seriamente el casarse. A ellas dedico principalmente este libro. Pero no puedo olvidarme de mis compañeros de ministerio —pastores y consejeros— que, convencidos de la importancia trascendente de esta tarea, le prestan toda la atención, tiempo y fuerzas que ella demanda. Pido a Dios que ellos también encuentren práctico este manual, para utilizarlo como material básico para sus reuniones con las parejas que tienen que casar. Sé que su experiencia y sabiduría les llevará a mejorar y complementar las ideas y sugerencias que aquí se aportan. Esta es sólo una guía para ayudarles a orientar mejor a los jóvenes enamorados.

Algunos colegas me recomendaron abreviar los cuestionarios que aparecen en cada capítulo, porque su respuesta demanda más de una hora para tratarlos en forma apropiada. Y quizá porque el pastor no disponga de tanto tiempo por pareja y sesión. Los dejé intactos, sin embargo, pensando en que cada pareja puede seleccionar lo más conveniente para su situación particular, bajo la orientación de su consejero. Tal como están, ofrecen la posibilidad de celebrar, según convenga, sesiones largas o cortas. Se pueden unir también varias parejas y tener un grupo de reflexión y estudio. La orientación prematrimonial en grupo puede aportar beneficios adicionales para todos. Otra posibilidad de uso es su utilización en retiros de enriquecimiento matrimonial para parejas ya casadas.

Sugiero a los pretendientes al matrimonio que cada uno tenga su libro para leerlo en privado, hacer las tareas que se recomiendan y prepararse concienzudamente para cada sesión de capacitación. De esta manera, el beneficio será mayor, al poder leer, considerar, meditar y repasar más particularmente cada una de las cuestiones que se plantean a lo largo de sus páginas.

1

Pastor, nos queremos casar

Se les notaba un poco nerviosos y con un brillo especial en sus ojos cuando Paco y Ester, tomados de la mano, se acercaron al pastor y con voz emocionada le anunciaron: "Pastor, nos queremos casar."

A pesar de su aplomo habitual, el pastor tampoco pudo evitar que las emociones se traslucieran en su rostro ante la noticia. Quizá la esperaba, pues se sabía que esa decisión era como fruta madura a punto de caer. A lo mejor le pilló de sorpresa, porque no sospechaba que las cosas fueran tan de prisa. En cualquier caso, como primera reacción dio la enhorabuena a Paco y Ester por creer que el matrimonio podía ser el plan de Dios para sus vidas. Y ciertamente, es un pensamiento maravilloso, y uno de los más grandes y hermosos proyectos de la vida que puedan emprender un hombre y una mujer. Digno de que se le dedique todo el tiempo y reflexión necesarios.

Sin perder tiempo, el pastor se informó de la fecha en que Paco y Ester estaban pensando para la celebración de la boda. Con amabilidad y firmeza, les indicó que precisaban al menos dos meses de tiempo para desarrollar convenientemente las reuniones de orientación prematrimonial. Para la joven pareja no fue una sorpresa, porque sabían que aquello era lo normal en su iglesia y en la práctica ministerial de su pastor.

A veces sucede que el pastor no tiene elaborado personalmente un plan de esta naturaleza. Pero sabe que hay alguien en la congregación o en la ciudad con títulos y experiencia suficientes para este ministerio y, sin dudarlo, los remite a estos especialistas.

El pastor sabe que una ceremonia de bodas no produce un matrimonio. Es cierto que tal ceremonia provee de ciertos derechos legales, pero no garantiza en absoluto el éxito ni la felicidad. Alguien lo ilustró usando la analogía de un jardín. Una persona puede ser legalmente reconocida como propietaria de una tierra cuando la compra. Pero convertir aquel pedazo de tierra en jardín demanda bastante atención y esfuerzo. Ni siquiera la simple adquisición de semillas, abonos y herramientas garantiza el llegar a tener un buen jardín. De la misma manera, el logro de un matrimonio feliz y estable requiere mucha dedicación, trabajo y tiempo, sentido común y la presencia de Aquel que es frecuentemente el gran olvidado. Por estas razones, aquel pastor practica en su congregación el aconsejamiento prematrimonial.

Recuerdo a un pastor que tomó la decisión firme de no casar a nadie si antes no participaba en un tiempo de reflexión de este tipo. Lo hizo después de ver cómo una pareja que él había casado se separaba a los pocos meses de contraer matrimonio. Cuando estos jóvenes se le acercaron sólo tuvo con ellos quince minutos de conversación previa. Dio muchas cosas por supuestas, pero se equivocó. Luego se lamentaba pensando que las cosas podían haber sido distintas si él hubiera dedicado tiempo a ministrarles antes de la boda.

Es cierto que un ministro no es directamente responsable de lo que le sucede a una pareja, pero él debe estar seguro en su conciencia de que hizo todo lo humanamente posible para orientarles. De esta manera, ellos estarán en condiciones de encontrar su propio camino hacia la felicidad y no naufragarán a poco de salir del puerto.

Paco y Ester no se sintieron mal, porque sabían que el pastor hacía esto mismo con todos por igual. Con los jóvenes que no tienen ninguna experiencia matrimonial, o con la pareja que por alguna circunstancia tiene prisa, o con esa otra pareja que estuvo casada antes.

Quizá Paco y Ester no estén locos de entusiasmo con la idea de las reuniones. Pero entusiasmados o no, el hecho es que están dispuestos a hacer el esfuerzo de prepararse mejor para el matrimonio. ¡Eso es digno de encomio!

Consideremos rápidamente la necesidad de capacitación en otras áreas de la vida, especialmente en la profesional. Bien sabemos que el llegar a ser un buen médico, arquitecto, empresario o piloto no sucede así como así. Pero parece que pensamos que los matrimonios estables y felices sí que suceden por arte de magia o por golpes de la fortuna. No sé cuántos estarían dispuestos a arriesgar sus vidas subiéndose a un avión manejado por un piloto inexperto. ¿Por qué actuar de distinta manera en el matrimonio?

Muchas parejas nunca se han detenido a considerar cuán importante es dedicar tiempo a esta preparación antes del matrimonio. Cuando lo hacen, reconocen que mereció la pena. Después de todo, el casarse es una de las decisiones más importantes de nuestra vida. Al ir avanzando en las reuniones y en la profundización de los aspectos esenciales de la vida matrimonial, ellos admiten que es una de las cosas más sabias que han hecho en sus vidas. Descubren que se disfruta pronto de los resultados de un curso así. Mejoran sensiblemente la calidad de su relación antes del matrimonio y les ayuda a poner fundamentos sólidos para después de la boda.

Una boda es siempre un momento importante para muchos: la pareja, las familias, los amigos, el pastor y la congregación que es testigo de aquellos votos y promesas. La ceremonia constituye un testimonio cristiano importante. Todos los participantes descubrirán pronto si aquello es una simple conveniencia social o la representación viva de profundas convicciones espirituales. Por esto hay que prestarle la debida atención a una boda que habla de un matrimonio cristiano.

Mucha gente precisa ayuda en su vida familiar y una ceremonia de bodas en el templo puede ser usada por el Espíritu de Dios para tocar esas vidas necesitadas. Cuando las personas descubren que la Palabra de Dios tiene algo que decirles para esa área tan importante en sus vidas, están mejor dispuestas a escuchar acerca de otras áreas.

Las reuniones

Paco y Ester se quedaron muy sorprendidos de muchas cosas cuando se iniciaron las reuniones.

Primera, descubrieron en la actitud de su pastor que él tomaba esta oportunidad de estar con ellos como un privilegio, un deber y una bendición que no quería perderse por nada del mundo.

Segunda, ellos casi sólo conocían al pastor de cuando éste aparecía en el púlpito, que es donde la gente en general lo ve más, y eso siempre les produce una cierta sensación de distanciamiento. Pero ahora, instalados en la oficina del pastor, observaron que él había hecho los arreglos necesarios para estar cómodamente sentados y para poder verse bien unos a otros. Se había asegurado de que la reunión fuera estrictamente privada y había dado importancia al encuentro pidiendo que nadie les molestara.

Se notaba en el pastor el propósito de crear una atmósfera cómoda y relajada que invitara a la confianza y al diálogo. Hasta tenía preparada una bebida refrescante para hacerlo todo más agradable y cordial. Paco y Ester sintieron una gran sensación de bienestar por el interés y la preocupación mostrada hacia ellos.

Tercera, el pastor no adoptó una postura o tono autoritario o paternalista. No estaba en el púlpito y, por consiguiente, "no predicó". Se esforzó por escuchar, preguntar y dialogar. Les invitó a comenzar y terminar las reuniones con un momento de oración en el que todos participaran. Les reafirmó en su fe en Jesucristo y en el reconocimiento en sus vidas del señorío de Cristo. Aquella era una experiencia nueva que les agradaba.

Cuarta, presintieron que al final iban a terminar siendo amigos del pastor, y podrían confiar en él en todo tiempo.

Quinta, desde el principio se inició un diálogo serio, aunque no excesivamente serio, sobre los aspectos esenciales de la vida matrimonial que iluminó sus mentes. Después de cada sesión se sintieron animados para la siguiente.

Y sexta, el pastor les dio tareas para hacer en privado cada uno de ellos, y después repasar juntos, que les llevó a profundizar por sí mismos y estar así seguros de sus propios pensamientos y sentimientos.

Paco y Ester pronto se dieron cuenta que aquellas reuniones de orientación prematrimonial no iban a resultar el "rollo espantoso" que temían. Por el contrario, aquello prometía ser bien interesante y, ¡hasta divertido!

La primera tarea

En preparación para la primera sesión de reflexión y diálogo, el pastor les asignó una tarea. Les pidió a cada uno de ellos que completaran cuidadosamente la siguiente evaluación de su relación y que volvieran con el trabajo bien terminado, listos para compartir su información y puntos de vista en forma amplia, sincera y constructiva. ¡Ah, y sobre todo —les dijo— no duden en hacer preguntas!

Evaluación de su relación y expectativas

1. ¿Cuánto tiempo llevan de novios? _____

2. ¿Cómo se conocieron? _____

_____

3. Mencione varias cosas que les gusta hacer juntos:

   (1) _____

   (2) _____

   (3) _____

4. Indique varios de los mejores recuerdos que tiene de su relación:

   (1) _____

   (2) _____

   (3) _____

5. Cite algunos de los peores recuerdos que tiene de su noviazgo:

   (1) _____

   (2) _____

   (3) _____

6. Si tuviera que describir su relación con una sola palabra, ¿cuál sería? _____

7. ¿Qué palabra piensa que usaría su novia/novio? _____

_____

8. ¿Cuáles son los puntos fuertes de su relación?

   (1) _____

   (2) _____

   (3) _____

9. ¿Cuáles son los puntos débiles?

   (1) _____

   (2) _____

(3) _____

10. ¿Qué han hecho para fortalecer estos puntos débiles? ___

_____

11. En su opinión, ¿qué lugar debe tener el contacto físico y las
    caricias en una pareja que está pensando seriamente en el
    matrimonio? _____

_____

12. Desde el punto de vista cristiano, ¿qué orientación y nivel de
    relación deben prevalecer en el aspecto físico? _____

_____

13. ¿Han sido los aspectos físicos de su relación una fuente de
    tensión y desavenencia entre ustedes? ¿Por qué? _____

_____

14. Si el atractivo físico desapareciera de golpe por accidente o
    enfermedad, ¿sobreviviría su amor? ¿Seguirían juntos amán-
    dose y apoyándose el uno al otro? _____

_____

15. ¿Qué lugar debe ocupar el Señor en la relación de una pareja
    cristiana? _____

_____

16. ¿Qué lugar ocupa Dios en la relación con su novia/novio?

_____

17. ¿De qué maneras hacen a Dios parte importante en su
    relación? _____

_____

18. ¿Hablan acerca de Dios juntos y oran juntos?_____

_____

19. Su noviazgo, ¿les ayuda o les estorba en su vida espiritual? ¿Cómo? _____

20. ¿Qué piensan sus padres acerca de su propósito de casarse?

_____

_____

21. ¿Qué opinan acerca de su novia/novio? _____

_____

22. ¿Qué piensan sus futuros suegros de usted? _____

_____

23. ¿Qué clase de relación tiene con ellos? _____

24. ¿Hay algo en su pasado que pueda estorbarles en su felicidad futura? _____

_____

_____

(No piensen sólo en pecados, también en excentricidades, debilidades, limitaciones, problemas, etc.).

25. ¿Conviene compartirlo ahora con él/ella? _____

26. ¿Hay razones válidas para *no* hacerlo? _____

¿Cuáles son? _____

_____

_____

(Si alguno de ustedes tiene dudas sobre el particular, es mejor hablar antes sobre el asunto con una persona madura y de entera confianza y solicitar su consejo. A veces callar es lo mejor, pero en cualquier caso necesitamos y debemos tener la conciencia bien tranquila.)

27. ¿Por qué quiere usted casarse? _____

_____

_____

28. ¿Qué pensamientos evocan la palabra matrimonio en su mente? _____

_____

29. En su opinión, ¿cuáles son los factores más importantes que hacen que un matrimonio funcione bien? _____

_____

_____

30. En su opinión, ¿cuáles son los factores que más estorban al funcionamiento normal de un matrimonio? _____

_____

_____

_____

31. ¿Qué aportará usted a su matrimonio para que tenga éxito?

_____

_____

_____

_____

32. ¿Qué piensa que aportará su novia/novio al matrimonio que ayudará a su éxito? _____

_____

33. ¿Cuáles son algunas de las metas que una pareja debe tener en el matrimonio?

(1) _____

(2) _____

(3) _____

34. ¿Cuáles son sus metas? _____

_____

35. ¿Cuáles son las metas de su novia/novio? _____

_____

36. ¿Qué espera de su novia/novio para el matrimonio? _____

_____

37. ¿Se han cumplido las esperanzas que tenía de *ella* o de *él* en su noviazgo? ¿Cómo? _____

_____

2

¿Se conocen de verdad?

La clave para un matrimonio feliz es tener los ojos bien abiertos antes de casarse y semicerrados después de la boda.[1]

De novios frecuentemente pensamos que porque llevamos un cierto tiempo juntos y nos hemos tratado más o menos íntimamente nos conocemos bien el uno al otro. Nada más lejos de la realidad. Debido a que somos seres tan complejos nos queda siempre mucho que conocer. En la etapa de novios somos todavía el uno para el otro como arcas cerradas que empezarán de verdad a abrirse después de la boda. Y entonces es posible que se reciban sorpresas inimaginables durante el noviazgo. Porque es durante la vida matrimonial que ya resultan imposibles de sostener las máscaras o maquillajes que nos disfrazan consciente o inconscientemente.

Aun después de veinticinco años de casados todavía tengo mucho que conocer acerca de mi esposa y ella de mí. Y a usted también le queda todavía mucho que conocer acerca de usted mismo y de su novia/novio.

Conocerse a uno mismo y a su compañero de equipo en la forma más correcta y profunda que sea posible, es importante para el éxito de cualquier empresa significativa de la vida en la que la calidad de las relaciones importa mucho, bien sea un vuelo espacial o la vida matrimonial. Dicho de otro modo, entenderse a uno mismo y a otra persona en una forma directa e íntima es un

21

requerimiento esencial para desarrollar y mantener la unidad de la relación matrimonial.

Así que en esta sesión vamos a procurar que se conozcan mejor a ustedes mismos y el uno al otro. Semejante empresa es fascinante y, hasta cierto punto, preocupante, porque no es ni más ni menos que proponerse ser casi transparente el uno para con el otro. ¡Ahí es nada!

Como tarea, cada uno de ustedes complete por separado los cuestionarios que aparecen a continuación. Después busque a su novia/novio y juntos dialoguen sobre sus respuestas a cada pregunta. Lleven los cuestionarios completados a la sesión de trabajo. Vayan preparados para compartir sus puntos de vista y estén listos para preguntar acerca de todo lo que no entiendan claramente.

I. *Sus razones para el casamiento*

   1. ¿Cómo llegó a la conclusión de que su novia/novio es *la persona que le conviene* como esposa/esposo? _____

_____

_____

   2. ¿Qué le llevó a la decisión de casarse ya con esta persona?

_____

_____

   3. Exprese al menos cinco razones por las que usted quiere casarse con su novia/novio.

     (1) _____

     (2) _____

     (3) _____

     (4) _____

     (5) _____

   4. ¿Qué es lo que le atrae de la otra persona? _____

_____

   5. ¿Cómo se relaciona 2 Corintios 6:14 con el asunto de casarse? ¿Qué significa estar unido en yugo desigual? ¿Cumple la persona con la que quiere casarse con las

directrices dadas en este pasaje? _____

_____

_____

II. Su carácter y personalidad

Califíquese a usted mismo y a su novia en las siguientes tendencias del carácter y de la personalidad. Califique poniendo *poco, normal, bastante.* Señale cuidadosamente todas las áreas que indican diferencia notable entre ustedes dos. Dialogue sobre el particular con ella o con él y reflexione sobre cómo las similaridades o diferencias pueden afectar positiva o negativamente su futura relación matrimonial.

Su nombre _____ El de su novio/novia _____

Tendencias del carácter y de la personalidad	*Usted*	*Su novio/novia*
1. Abierto	_____	_____
2. Agresivo	_____	_____
3. Alegre	_____	_____
4. Amable	_____	_____
5. Ambicioso	_____	_____
6. Ayudador	_____	_____
7. Cariñoso	_____	_____
8. Celoso	_____	_____
9. Cumplidor	_____	_____
10. Confiable	_____	_____
11. Considerado	_____	_____
12. Conversación limpia y agradable	_____	_____
13. Desconfiado	_____	_____
14. Dinámico	_____	_____

15. Discreto en el hablar   _____   _____
16. Dominante   _____   _____
17. Egoísta   _____   _____
18. Emprendedor   _____   _____
19. Expresivo   _____   _____
20. Generoso   _____   _____
21. Gusto para vestir   _____   _____
22. Intransigente   _____   _____
23. Leal   _____   _____
24. Limpio   _____   _____
25. Negativo   _____   _____
26. Noble   _____   _____
27. Obstinado   _____   _____
28. Olvidadizo   _____   _____
29. Ordenado   _____   _____
30. Optimista   _____   _____
31. Paciente   _____   _____
32. Perdonador   _____   _____
33. Presta atención a
    las personas   _____   _____
34. Prudente   _____   _____
35. Razonable   _____   _____
36. Resentido   _____   _____
37. Saludable   _____   _____
38. Trabajador   _____   _____
39. Tímido   _____   _____
40. Valiente   _____   _____

III. *Intereses y actividades comunes*

    ¿Cómo se relaciona con su novia/novio en cuanto a las siguientes actividades? Señálelo en el cuadro correspondiente. Después dialoguen acerca de la incidencia de las coincidencias o de las diferencias sobre sus relaciones.

	Juntos	Ambos, pero separados	Uno solo	Ninguno
1. Iglesia	___	___	___	___
2. Espectáculos (Conciertos, teatro, cine, deportes, etc.)	___	___	___	___
3. Actividades sociales (Familia, amigos, iglesia, etc.)	___	___	___	___
4. Política	___	___	___	___
5. Compras	___	___	___	___
6. Pasatiempos	___	___	___	___
7. Deportes (Práctica)	___	___	___	___
8. Lectura	___	___	___	___
9. Juegos de mesa (Ajedrez, parchís, damas, etc.)	___	___	___	___
10. Actividades físicas fuera de casa (Paseos, excursiones, etc.)	___	___	___	___

IV. *¿Cómo suele decir "te amo"?*
    Señale lo que proceda

	Usted	Su novio/ novia
1. Mediante besos, caricias, abrazos	___	___
2. Ayudando voluntariamente en todo lo que haga falta	___	___
3. Con atenciones en los cumpleaños, aniversarios, fechas especiales	___	___

4. Expresándolo verbalmente a diario _____ _____

5. Cumpliendo fielmente con los compromisos adquiridos _____ _____

6. Enviando cartas, notas, poemas en los que manifiesta su aprecio _____ _____

7. Invitando periódicamente a su novia/novio a algo especial que le guste y desee _____ _____

8. Reconociendo y prestando atención a sus necesidades personales _____ _____

9. Complaciendo en aquello que a su novio/novia le importa e interesa _____ _____

10. Apoyando decididamente a su novio/novia en aquello que han emprendido o se han comprometido aunque usted no esté convencido de ello, mientras que no sea algo que afecte a sus convicciones básicas _____ _____

11. Y afirmando continuamente a su novio/novia en todos aquellos valores y cualidades positivos que posee _____ _____

Otros

12. _____ _____ _____

13. _____ _____ _____

14. _____ _____ _____

15. _____ _____ _____

V. *¿Cómo le gustaría más que su novia/novio le dijera "te amo"?*

Numérelos por el orden de importancia que tienen para usted. Quizá la forma más significativa para usted de decirle "te amo" no aparece en la lista; inclúyala, por favor.

Su nombre _____

1. Mediante expresiones físicas de afecto (besos, abrazos, caricias) _____

2. Diciéndoselo verbalmente a diario   _____

3. Cumpliéndolo fielmente con los compromisos adquiridos   _____

4. Mediante detalles u obsequios frecuentes aunque no sean de gran valor   _____

5. Ayudándole o estando a su lado conversando o en silencio mientras usted realiza su tarea   _____

6. Reconociendo y prestando atención a sus necesidades personales   _____

7. Recibiendo regalos o recuerdos en los cumpleaños, aniversarios, etc.   _____

8. Invitándole a salir a pasear, cenar, reuniones, etc.   _____

9. Acompañándole a aquellas reuniones o actividades que son muy significativas para usted   _____

10. Escuchándole atentamente y prestándole todo el apoyo necesario cuando está desalentada o tiene dificultades   _____

11. Dejándole en paz cuando necesita estar a solas   _____

12. Permitiéndole y confiando plenamente en sus relaciones con personas del sexo opuesto   _____

Otros

13. _____   _____

14. _____   _____

15. _____   _____

Nota

[1] Autor desconocido

3

¿Cómo definirían el amor?

La mayoría de los novios dicen que se casan porque están enamorados. Vamos a suponer que para poder legalizar su matrimonio ante el juez municipal usted tuviera que convencerle de que ama realmente a su pareja. Como buen abogado defensor de su amor, escriba los hechos esenciales que presentaría al juez para demostrarle que es cierto lo que afirma. Lleven esa declaración-prueba-defensa de su amor a la próxima sesión para ver cuál le resulta más convincente al pastor.

Paco y Ester dicen que están enamorados el uno del otro hasta los tuétanos. ¡Eso es estupendo! Estar enamorados es una experiencia maravillosa, y es esencial para el éxito del matrimonio. Tan importante es que si realmente no se aman el uno al otro su matrimonio va camino al desastre.

Cuando una pareja falla en amarse el uno al otro, puede suceder todo lo malo que se nos ocurra pensar. Sin amor la vida matrimonial se hace insoportable, los problemas se tornan más difíciles de resolver, las relaciones se deterioran, los matrimonios se separan y las familias se desintegran.

Jesucristo subrayó la importancia fundamental del amor en su resumen de lo que Dios desea para nosotros. Dijo: "Amarás al Señor tu Dios con todo tu corazón, y con toda tu alma, y con toda tu mente. Este es el primero y grande mandamiento. Y el segundo es semejante: Amarás a tu prójimo como a ti mismo. De estos dos mandamientos depende toda la ley y los profetas" (Mt. 22:37-40).

Amor es lo que el mundo necesita. Y amor es lo que ustedes dos precisan si quieren ser felices en su matrimonio y lograr que éste permanezca.

La gente se casa porque dicen que se aman. Desafortunadamente, muchos de ellos no pueden definir el amor, o tienen conceptos o comprensión inadecuados o equivocados de lo que es el amor.

¿Cómo pueden saber si están enamorados sin una comprensión correcta de lo que dicen que están experimentando? ¿Cómo pueden saber si están amando y son amados si no saben lo que es el verdadero amor? La verdad es que no pueden saberlo.

De manera que la definición correcta del amor es importante. Toda pareja debe buscarla diligentemente. Ustedes también la precisan.

¿Qué es el amor? ¿Cómo lo define la gente? ¿Cómo lo expresa la Palabra de Dios? ¿Con cuál de estas definiciones está de acuerdo?

- "El amor es un estado perpetuo de anestesia."
- "El amor es un fuego, un cielo, un infierno, donde el placer, el dolor y el arrepentimiento se citan."
- "El amor es una grave enfermedad mental."
- "Amar a alguien no es sólo un fuerte sentimiento, es también una decisión, un juicio, una promesa."
- "El amor es un compromiso incondicional con una persona imperfecta."
- "El amor es sufrido, es benigno; el amor no tiene envidia, el amor no es jactancioso, no se envanece; no hace nada indebido, no busca lo suyo, no se irrita, no guarda rencor; no se goza de la injusticia, mas se goza de la verdad. Todo lo sufre, todo lo cree, todo lo espera, todo lo soporta" (1 Co. 13:4-7).

Pasemos a examinar juntos el concepto bíblico del amor. Busque las referencias bíblicas que se indican y exprese en sus propias palabras lo que dicen sobre el verdadero amor. Note cuidadosamente lo que es y no es el verdadero amor, y lo que hace y no hace.

El verdadero concepto del amor según la Biblia

1. Proverbios 10:12 _____

2. Proverbios 17:17 _____

3. Mateo 6:24 _____

4. Mateo 22:37-39 _____

5. Lucas 6:27-35 _____

6. Lucas 10:25-37 _____

7. Juan 3:16 _____

8. Juan 13:34 _____

9. Romanos 13:8-10 _____

10. Romanos 14:15 _____

11. 1 Corintios 8:1 _____

12. Gálatas 2:20 _____

13. Gálatas 5:13 _____

14. Gálatas 6:2 _____

15. Efesios 4:2 _____

16. Efesios 5:2 _____

17. Efesios 5:25 _____

18. 1 Tesalonicenses 4:9, 10 _____

19. 1 Timoteo 1:5 _____

20. Tito 2:3-5 _____

21. 1 Pedro 4:8 _____

22. 1 Juan 3:16-18 _____

Ningún estudio sobre el amor sería completo sin la consideración del llamado Salmo del Amor, que se encuentra en 1 Corintios 13:4-7. Estos versículos indican que el amor consta de muchos elementos. A medida que los considera abajo, dé ejemplos de cómo puede aplicarlos a su futuro matrimonio. Sea lo más específico que pueda.

1. Sabe soportar las ofensas. Es sufrido, espera en el Señor quien enderezará todo lo torcido.

(1) _____

(2) _____

2. Es bondadoso. Es benigno, no es desconsiderado, busca
   ayudar, es constructivo, bendice cuando le maldicen, ayuda
   cuando le hieren, demuestra ternura.

   (1) _____

   (2) _____

3. No tiene envidia. No es celoso del éxito de otra persona.

   (1) _____

   (2) _____

4. No es presumido. No es jactancioso, sino humilde.

   (1) _____

   (2) _____

5. No es orgulloso. No se envanece, no trata de impresionar y
   ser el centro de atracción.

   (1) _____

   (2) _____

6. No es grosero. No hace nada indebido, sino que es cortés.

   (1) _____

   (2) _____

7. No es egoísta. No busca lo suyo, sino que se olvida de sí
   mismo.

   (1) _____

   (2) _____

8. No se enoja. No es irritable, sino de buen temperamento.

   (1) _____

   (2) _____

9. No guarda rencor. No es vengativo, sino generoso.

   (1) _____

   (2) _____

10. No se alegra de la injusticia, sino que se goza en la verdad. No disfruta aireando los pecados de otra persona.

    (1) _____

    (2) _____

11. Todo lo sufre. No es rebelde, sino fuerte; cubre más que expone los errores de los demás.

    (1) _____

    (2) _____

12. Todo lo cree. No es suspicaz ni cínico. Busca la explicación que muestre lo mejor de otros.

    (1) _____

    (2) _____

13. Todo lo espera. No es desconfiado ni se desespera fácilmente.

    (1) _____

    (2) _____

14. Todo lo soporta. Es invencible frente a todos los problemas y dificultades.

    (1) _____

    (2) _____

Amar es también prestar atención y satisfacer las necesidades de la persona que comparte nuestra existencia. Esa es una de las pruebas mayores de amor.

Haga una lista de los anhelos o deseos legítimos de su novia/novio. Piense en todas las facetas de su vida —físicas, intelectuales, espirituales, emocionales, sociales, recreativas, económicas, etc. ¿Qué desea o necesita en estas áreas? ¿Qué puede hacer para ayudar a que se sienta feliz y realizada?[1]

1. Necesidades físicas: _____
   Lo que estoy haciendo y lo que puedo hacer más para

   satisfacer estas necesidades: _____

   _____

2. Necesidades intelectuales: _____

_____

Lo que estoy haciendo y lo que puedo hacer más para satisfacer estas necesidades: _____

_____

3. Necesidades espirituales: _____

_____

Lo que estoy haciendo y lo que puedo hacer más para satisfacer estas necesidades: _____

_____

4. Necesidades emocionales: _____

_____

Lo que estoy haciendo y lo que puedo hacer más para satisfacer estas necesidades: _____

_____

5. Necesidades sociales: _____

_____

Lo que estoy haciendo y lo que puedo hacer más para satisfacer estas necesidades: _____

_____

6. Necesidades recreativas: _____

_____

Lo que estoy haciendo y lo que puedo hacer más para satisfacer estas necesidades: _____

_____

7. Necesidades económicas: _____

_____

Lo que estoy haciendo y lo que puedo hacer más para satisfacer estas necesidades: _____

_____

Todo matrimonio necesita experimentar las tres clases de amor que expresan las palabras griegas *Eros, Philia, Agape*, sobre los que C. S. Lewis escribió tan magistralmente.[2]

Eros es el amor que busca expresión sexual. Es el amor romántico, sexual. Está estimulado por la estructura biológica de la naturaleza humana. Todo hombre y mujer unidos en matrimonio normal van a buscar amarse en este sentido.

Philia habla de amistad. Del compañerismo, comunicación y cooperación que se dan mutuamente marido y mujer. En todo matrimonio esta faceta es altamente deseable y necesaria. Alan Loy McGinnis desarrolla muy bien esta idea en su excelente libro *La Amistad*.[3]

Agape es el amor que se da a sí mismo sin esperar nada a cambio. Agape es algo que hacemos que suceda a favor de otra persona. Es el amor que habla de un compromiso total, incondicional y voluntariamente contraído. Es el amor mostrado por Jesucristo en la cruz.

Agape es el amor que se describe en 1 Corintios 13:4-7. *Agape* sostiene e incrementa el amor expresado en *Philia* y *Eros*, pero a los tres hay que dedicar un esfuerzo consciente.

Cuando usted se case con su novia/novio, ¿cómo le podrá demostrar estas tres clases de amor? Bajo estas palabras a continuación, dé algunos ejemplos de lo que hará para demostrarlos.

Eros:

1. _____
2. _____
3. _____

Philia:

1. _____
2. _____
3. _____

Agape:

1. _____
2. _____
3. _____

A lo largo de toda esta consideración sobre el amor nos habremos reafirmado en nuestro concepto de que el amor es un sentimiento. Lo es, sin duda; pero también es algo más. Es una actitud, una decisión y un compromiso. Yo decido amar y me comprometo a ello. Los sentimientos son importantes, pero van y vienen. Unos días *siento* deseos de comerme a besos a mi mujer y a mis hijos; y otros no *siento* deseo alguno de mirarlos. Más bien, siento deseos de que se esfumen. Y por lo que observo, a ella y a otros muchos a mi alrededor les ocurre otro tanto.

Y también me sucede de vez en cuando que no tengo ganas de mirarme al espejo ni me aguanto a mí mismo. Así de fluctuantes son las emociones. Afortunadamente, esa loca fluctuación de las emociones se me pasa pronto y todo vuelve a la normalidad. Mi compromiso conmigo mismo y con Dios de vivir, amar y servir se impone sobre el vaivén de los sentimientos. Así sucede también en mi relación con los míos. Por encima de los altibajos y turbulencias que en ocasiones sufren mis emociones, está la decisión ética y mi compromiso de amar hasta que la muerte nos separe. Aunque, claro, debemos procurar no quedarnos en la simple obligación, sino que cada día retoñe la gozosa devoción que los sentimientos caldean tan dulcemente.

Su amor por su novia/novio va a vivir o morir. Todo depende de ustedes dos. De que lo cuiden y lo hagan crecer cada día o de que empiecen a dar muchas cosas por supuestas y lo dejen morir. El amor se marchita y desaparece cuando ustedes dos dejan de pasar tiempo juntos y dejan de compartir actividades que ambos disfrutan. El amor muere cuando dejan de sonreírse, besarse, acariciarse, mostrarse ternura y afecto; cuando cesan de elogiarse y afirmarse el uno al otro en todo lo bueno y sano que cada uno posee; cuando dejan de apoyarse incondicionalmente, de perdonarse, de olvidar el pasado y de mirar juntos hacia el futuro. El amor muere cuando toda su convivencia y diálogo se ha convertido en períodos amargos de quejas, críticas, resentimientos, descontentos y desavenencias no superados. El amor muere cuando dejan de tener sueños y proyectos comunes.

Todo depende de ustedes dos. Queda en sus manos esa preciosa y delicada flor.

Notas

[1] Esta sección sigue de cerca la pirámide de necesidades básicas del ser humano propuesta por el psicólogo contemporáneo Abraham Maslow y que aparece en la mayoría de los tratados actuales de psicología.

[2] Esta sección está inspirada en los escritos de Norman Wright, quien aquí sigue un poco la línea del pensamiento de C. S. Lewis, expresada en su libro *Los cuatro amores*, publicado en castellano por Editorial Caribe.

[3] Publicado por Editorial Mundo Hispano.

4

¿Qué es para ustedes el matrimonio y qué esperan de él?

Alguien dijo, con cierto tono de humor, pero con buena dosis de sabiduría, que "el matrimonio es el único juego en la tierra en el que *todos* ganan o *todos* pierden". Todos —él, ella, las familias, la sociedad, la iglesia— ganan mucho cuando la pareja es estable y feliz o, por el contrario, pierden mucho.

Hay muchos que piensan que el matrimonio es un contrato. Con lo que vienen a decir, según el concepto de contrato que impera, que si una parte no cumple con lo estipulado, la otra parte tampoco está obligada a cumplir. Y, en definitiva, un contrato es algo que se puede deshacer con más o menos dificultad legal.

El punto de vista cristiano es que es algo más, bastante más, que un simple compromiso legal. El matrimonio no permanece por la fuerza de la ley o por el temor de las sanciones. Bien vemos hoy que eso no detiene a casi nadie que esté decidido a deshacer el contrato. Se sostiene en base de otros elementos más importantes.

Buscando mejores definiciones del matrimonio, un poeta lo expresó de manera más inspiradora. Dijo: "Es una relación en la que dos personas pecadoras y litigiosas se hallan tan arrebatadas por un sueño y propósito más grandes que ellas mismas, que luchan por hacerlo realidad a través de los años, a pesar de sus repetidas desilusiones."

Según la visión bíblica de la vida, creemos que el matrimonio es idea y propósito de Dios. Lo consideramos como una institución divina. El creó al primer hombre y a la primera mujer y los presentó el uno al otro. Podemos muy bien imaginarnos al Señor oficiando en la primera boda. De ahí inferimos que Dios conoce bien lo que debe ser el matrimonio y cómo deben los casados manejar sus relaciones. Es, pues, del interés de una pareja conocer lo que Dios piensa al respecto y cómo concibió él el matrimonio.

Vamos a considerar juntos varios aspectos del matrimonio. Pero a dos en particular les vamos a prestar mayor atención: uno es la idea de dejar "a su padre y a su madre"; el otro, el concepto y alcance del "compromiso matrimonial". Seguramente que ustedes ya han pensado en ambos, pero creo que conviene profundizar. Así que vamos a ponernos a trabajar.

I. *Origen, naturaleza y propósitos del matrimonio según la Biblia*

1. ¿Cree usted que el matrimonio es un contrato y nada más?

   _____

   ¿Por qué sí o por qué no? _____

   _____

2. ¿Qué cree que piensa su novia/novio? _____

   _____

3. ¿Quién originó la institución del matrimonio según Génesis 1:28; 2:18; Efesios 5:22-32? _____

   _____

4. ¿Cuáles son los propósitos del matrimonio según Génesis 1:28; 2:18; Efesios 5:22-32?

   (1) _____

   (2) _____

   (3) _____

   (4) _____

   (5) _____

5. ¿Qué significa dejar "a su padre y a su madre"? _____

_____

_____

6. ¿Qué quiere decir para usted "y serán una sola carne"?

_____

_____

7. Escriba una carta imaginaria a sus padres y otra a sus suegros explicando cariñosamente qué entiende que es el matrimonio y cómo quiere relacionarse con ellos y por qué quiere hacerlo así.

II. *Los fundamentos del hogar*

El pasaje de Mateo 7:24-27 nos habla de edificar nuestra casa sobre la roca. Indique al menos cinco fundamentos sólidos sobre los que usted quiere edificar su matrimonio.

(1) _____

(2) _____

(3) _____

(4) _____

(5) _____

Poniéndolo ahora en negativo: indique varios elementos que manifiestan que se está edificando sobre la arena:

(1) _____

(2) _____

(3) _____

(4) _____

(5) _____

III. *Razones para el matrimonio*

Se dan varias razones y motivos por los que las personas se casan: ¿Cuáles son los suyos?

1. Haga una lista de las razones por las que usted se quiere casar y hacerlo con la persona que ha elegido:

(1) _____

(2) _____

(3) _____

(4) _____

(5) _____

(6) _____

(7) _____

2. Compare ahora sus razones con la siguiente lista que ha sido compuesta por varios especialistas en la educación matrimonial y familiar. Estos son motivos equivocados por los cuales se va al matrimonio. Si alguno de estos motivos aparece en su lista o en su mente, creo que debe ser honrado y dialogar sobre el particular con su novia/novio.

(1) Por temor a la soledad y a quedarse soltero o soltera.
(2) Por embarazo de la novia.
(3) Por compasión, debido a la situación física, emocional u otras de su pareja.
(4) Por escapar del hogar de sus padres.
(5) Por despecho, debido a que otra persona le ha rechazado o abandonado.
(6) Porque han tenido ya relaciones sexuales.
(7) Por temor de herir a su novia/novio.
(8) Por rebeldía contra sus padres. Por deseo de afirmar su voluntad y personalidad frente a sus padres.
(9) Debido a una autoimagen pobre. Está acomplejado y ha buscado la persona que pensó que no le iba a rechazar.
(10) Por alguna forma de conveniencia por la que le interesa aparecer como "casado".

IV. *El compromiso matrimonial*

Uno de los serios problemas de la actualidad en relación con el matrimonio es la mentalidad de escape con que muchos llegan al mismo. Falta la voluntad de luchar tenaz y constantemente por la propia felicidad. La actitud que priva en muchos pretendientes al matrimonio es: "Voy a probar, si nos adecuamos y funcionamos bien, continuaremos. Si no, ahí está la puerta del divorcio." Esa no es la actitud correcta. Eso es destruir el estímulo del compromiso y del esfuerzo total, tan necesario en el matrimonio.

Nos relata la historia que cuando Hernán Cortés llegó a las costas de México y se disponía a marchar hacia el interior para llegar hasta la capital del imperio azteca, decidió bajar de los barcos todo lo que había de más valor y les era de mayor utilidad. Seguidamente ordenó quemar las naves. Ya no había posibilidad de retirada, tenían que concentrar todas sus capacidades y energías en marchar hacia adelante y alcanzar el triunfo en la empresa. De tal manera se aplicaron a la tarea que alcanzaron el éxito.

Esta actitud mental de poner todo nuestro interés y voluntad en una empresa y quemar las naves para evitar la tentación de la huida es la que nos da muchas veces el triunfo. Pero la actitud mental que frecuentemente observamos hoy en muchas parejas que van camino del matrimonio es la de probar y si las cosas se complican dejarlo, huir del desafío y probar por otro lado. No existe en muchos, en cuanto al matrimonio se refiere, el espíritu de lucha necesario para mantener a flote el barco del amor. Ante los primeros embates de la tormenta abandonan el barco tratando de escapar por la puerta del divorcio. Muchos están dispuestos a luchar a brazo partido por su posición profesional o por salvar un negocio dedicándole todo el dinero y esfuerzo necesarios, pero no tienen la misma disposición en cuanto al matrimonio. No se dan cuenta de que la felicidad en el hogar es tan importante o más que el éxito en los negocios o en la profesión.

1. ¿Qué enseñan los siguientes pasajes de la Biblia acerca de establecer compromisos: Salmos 15:4b; Números 30:2;

   Deuteronomio 23:21; Eclesiastés 5:4? _____

   _____

   _____

2. Considere la siguiente declaración de compromiso:

"Al casarme contigo sé que estoy contrayendo un compromiso para toda mi vida de cuidarte y amarte en todo tiempo y circunstancia. Sé que sólo te amaré como corresponde en la medida que comprenda el amor de Dios por mí. Me comprometo, por tanto, a buscar diariamente mi mejor conocimiento de Dios mediante la meditación de su Palabra y la oración.

Prometo no cesar en buscar cómo amarte mejor. Quiero que

mi amor refleje el amor descrito en 1 Corintios 13:4-7. quiero que mi amor para contigo sea paciente, amable, perseverante; no celoso, no envidioso; un amor que se contenta con lo que Dios quiere darnos; un amor que no es orgulloso o egoísta, rudo o inconsiderado; un amor que sea tolerante y comprensivo con tus debilidades; un amor que busca llevarte hacia Cristo y no tanto hacia mí. Un amor que responde positivamente aun en los desacuerdos y desavenencias.

Me comprometo a pedir a Dios que me dé ese amor que mira más allá de los errores y fracasos, pecados o inconstancias, un amor que se goza en perdonar. Procuraré recordar que quizá yo mismo(a) te he fallado más veces que tú a mí; y, sobre todo, que le he fallado a Dios, y él me ha perdonado. Un amor que se entristece cuando estás dolorida(o) o quebrantada(o) y procura ayudar. Un amor que restaura y levanta en vez de demandar, despreciar, exponer o condenar.

Me comprometo a compartir contigo cada día mis pensamientos, sueños, esperanzas, gozos, éxitos, problemas, temores, preocupaciones y fracasos. Compartiré contigo toda mi vida. Te animaré a que tú compartas también conmigo todo tu ser, y cuando lo hagas te escucharé y atenderé sin limitaciones.

Prometo darle a Dios la honra y la gloria por todo lo bueno que él pueda hacer por medio de mí. Soy consciente de que para ser un buen esposo o esposa debo ante todo adorar y servir a Dios. Buscaré hacerlo con fidelidad y sinceridad cada día que él me conceda vivir.

Este es mi compromiso matrimonial delante de Dios y de ti."

Firmado: _____

3. Analice los elementos básicos o principios que componen un compromiso así _____

_____

_____

_____

(1) ¿Está listo para un compromiso así? _____
¿Por qué? _____

(2) ¿Qué quitaría o añadiría a esta declaración de com-

promiso? _____

_____

(3) ¿Por qué no elabora su propia declaración de compromiso matrimonial en sus propias palabras y se la
entrega a su novio/novia como un recuerdo de sus
propósitos firmes? ¿Existe alguna razón seria que lo

impida? _____

¿Cuál? _____

_____

V. Sus respectivas historias familiares

Mostrándose mutuo respeto y gran consideración, dialoguen
ahora sobre diversos aspectos de su propia historia familiar. Esto
les ayudará a ver las similaridades y las diferencias existentes
entre ambas familias. No tengan en ninguna manera una
curiosidad malsana que provoque tensiones entre ustedes. *El
propósito es que ustedes examinen juntos cómo las similaridades
o las diferencias pueden afectarles en su futura vida
matrimonial.*

Nuestros conceptos, actitudes y comportamientos no caen
de improviso del cielo en paracaídas. Es algo asimilado y
aprendido a lo largo de años de convivencia en el hogar de
nuestros padres. Dichos conceptos, actitudes y comportamientos
básicos pueden ayudarnos a la hora de casarnos si encajan bien
con los que trae nuestra pareja, o pueden causarnos dificultades.
Por esto es importante que conozcan sus tendencias básicas
aprendidas, dialoguen sobre ellas y lleguen a acuerdos mutuos.

Por ejemplo:

1. ¿Qué puntos de vista sostienen y practican en sus
respectivas familias sobre los papeles del esposo-padre y
de la esposa-madre, el dinero, el sexo, la religión, la

política, etc.? _____

_____

2. ¿Cómo resuelven los problemas y desavenencias en sus

respectivas familias? _____

_____

3. ¿Cómo funciona el matrimonio de sus respectivos padres:
   bien, mal, separados, etc.? _____

   _____

4. ¿Qué reglas familiares existen en cada hogar? Ejemplo:
   "Que los hijos estén en casa antes de las 10 de la noche y

   que avisen si van a llegar más tarde."_____

   _____

5. Otros aspectos que ustedes y su consejero estimen
   oportuno sacar a la luz y reflexionar sobre ellos, como
   pueden ser:

   (1) Rasgos característicos del padre y de la madre
   (2) Relaciones de sus padres con sus respectivos padres o
       suegros.

Permítanme insistirles en que un diálogo así es sólo beneficioso si se hace mostrando gran sensibilidad por los sentimientos
de su novia/novio y respeto por sus familiares. Hay que evitar los
juicios y críticas. No se está para eso, sino para ver cómo las
similaridades o las diferencias pueden afectarles a ustedes. Y
cómo remediar o paliar los efectos si estos resultan ser negativos.

5

¿Cuáles son sus convicciones fundamentales?

La familia que ora unida, permanece unida.

Me atrevo a decir sin temor a equivocarme que Paco y Ester anhelan ser un matrimonio bien avenido y feliz. ¡Ese es el sueño de todos! Pero a estas alturas ya se han dado cuenta de que los buenos matrimonios no caen del cielo el día de la boda. Los matrimonios que funcionan bien requieren tiempo y esfuerzo. No se engañen ni estén confundidos: la vida de casados no es fácil. Pero si usted quiere y lucha por conseguirlo, puede ser, y Dios quiere que sea, una de las experiencias más edificantes y gratificantes de su existencia. De igual forma, requiere bastante esfuerzo alcanzar cualquier meta que merezca la pena en la vida.

Los matrimonios felices y estables son el fruto de un fuerte compromiso con Dios y su plan para la familia. Son el resultado de darle prioridad a la relación matrimonial y a su permanencia; de servirse mutuamente y ayudarse el uno al otro a crecer hasta llegar a ser todo lo que podemos ser.

En los buenos matrimonios los esposos también tienen problemas. Pero no huyen de ellos. Por el contrario, los enfrentan y resuelven juntos en la forma más amorosa y constructiva que pueden.

Quizá no lo crea ahora, pero le aseguro que habrá ocasiones

cuando no sienta que ama a su pareja. Otras veces no se sentirá impulsado a servir. En otras ocasiones no tendrá ganas de resolver las dificultades. Otras veces lo que más deseará es desaparecer y perderlos de vista a todos. ¿Increíble? ¿Exagerado? Pregunte a los casados a su alrededor y si son sinceros, ¡ya le contarán! Y si no, espere un poco de tiempo y lo experimentará por usted mismo.

Observe y estudie y verá cómo la desilusión, el aburrimiento, el cansancio, la rutina, la mala comunicación, el dar por supuestas muchas cosas son algunas de las rocas donde muchos barcos que empezaron bien su navegación encallan, hacen agua y terminan hundiéndose.

Cuando eso suceda, ¿dónde va a encontrar la motivación y las fuerzas para sacar adelante su matrimonio? ¿Qué le podrá animar y fortalecer para quedarse allí y hacer lo que debe hacer independientemente de cómo se siente?

Hay sólo una respuesta a estas preguntas: Dios. Una relación profunda y vital con Dios, es lo único que le animará y confortará para proseguir y resolver los problemas.

Ante las situaciones conflictivas que aparecen en el matrimonio, los que no conocen ni experimentan esta relación con Dios, suelen reaccionar diciendo: "No puedo aguantar más." "Es imposible continuar." "No hay manera de entenderse." "Esto no tiene solución." Y realmente, no pueden, porque carecen de lo que sólo Dios puede dar. El cristiano, cuando enfrenta estas situaciones, no tiene derecho a decir "no puedo". Cuando lo dice, lo que realmente está diciendo es "no quiero". "No quiero aguantar más." "No quiero esforzarme por entender." "No quiero continuar." "No quiero enfrentar los problemas ni solucionar las dificultades." El apóstol Pablo dijo: "Todo lo puedo en Cristo que me fortalece" (Fil. 4:13).

El cristiano que vive en comunión viva y real con Dios tiene capacidad para hacer de su matrimonio una experiencia positiva, si quiere hacerlo. Excepto en aquellas ocasiones en que por trastornos graves de la personalidad de uno de ellos, o de los dos, las soluciones están más allá de las capacidades propias.

El Señor será el apoyo y la fortaleza del creyente en los días difíciles. El será su consejero fiel y compañero leal. El será quizá su última y gran razón para vivir. El le ayudará a permanecer firme en sus compromisos cuando las cosas se ponen mal.

Todo esto significa que como pareja deben dar prioridad a sus relaciones con el Señor, no permitiendo que nada ni nadie se interponga entre ustedes y Dios. Para lograrlo dediquen tiempo juntos a la lectura de la Palabra y la oración. Dediquen tiempo a compartir en la adoración con otros creyentes fieles a fin de ser animados y edificados y ustedes edificar a otros también. Involúcrense activamente en la vida de una comunidad cristiana.

Como dijo un sabio siervo de Dios: "Hagan un axioma para su éxito matrimonial de la declaración: 'Nuestra relación con Dios es la relación más importante en nuestra relación como esposos.' Y asegúrense de que no lo olviden."

Pero las actitudes brotan de las convicciones. El autor de Proverbios nos viene a decir que "lo que pensamos en nuestra mente, eso es lo que somos y eso es lo que sucede" (23:7, paráfrasis del autor). ¿Qué es lo que realmente piensa en su mente acerca de Dios, Cristo, la Biblia, el pecado, ser cristiano, la iglesia, la integridad moral, etc.? Si sus conceptos son en usted algo vivo, serio, sincero, vital, estos le moldearán y le impulsarán en una dirección determinada. De lo contrario, su dirección y actuación serán bien diferentes. En resumen, ¿en qué cree y para qué vive?

Recuerde que mientras no llegamos a pensar por nosotros mismos y nos responsabilizamos de nuestras acciones, actitudes y palabras, somos criaturas dependientes. Estamos viviendo de prestado con las creencias y valores de nuestros padres, maestros o modelos. Pero tiene que llegar el momento en el que como prueba de nuestra madurez decidimos y elegimos nuestro sistema de creencias y valores.

Responda, por favor, a las siguientes preguntas y compártalo después con su novia/novio:

1. ¿Qué es Dios para usted?
   ¿Qué significado e influencia real tiene Dios en su vida?

   _____

   _____

   _____

2. Acerca de Jesucristo
   (Describa quién piensa que es, qué hizo, qué está haciendo ahora, el lugar que ocupa en su vida y qué significa para usted.)

_____

_____

_____

3. ¿Qué es la Biblia para usted?
(Describa qué es, qué significa para usted, el lugar que ocupa en su vida y cómo la usa.)

_____

_____

_____

4. ¿Qué concepto tiene sobre el pecado? _____

_____

_____

5. ¿Qué hace cuando peca? _____

_____

_____

6. ¿Qué es para usted ser cristiano? _____

_____

_____

7. ¿Por qué sabe que es cristiano? _____

_____

_____

8. ¿Lee la Biblia y ora?
(Cuándo, cómo, por qué, para qué.)

_____

_____

9. ¿Qué concepto tiene acerca de la iglesia? _____

_____

_____

10. ¿Para qué y cómo participa activamente en la vida y en el compañerismo de la iglesia? _____ _____ _____

11. ¿Cómo promueve su crecimiento espiritual y el de su novia/novio?_____ _____ _____

12. ¿Cuáles son sus metas espirituales? _____ _____ _____

13. ¿Piensa edificar su relación matrimonial sobre la base de la enseñanza de la Palabra de Dios? ¿Cómo? _____ _____ _____

14. ¿En base de qué razones cree que el matrimonio cristiano es un compromiso para toda la vida? _____ _____ _____

15. ¿Qué importancia tiene la honradez y la integridad moral en una relación tan íntima como es el matrimonio? _____ _____ _____

16 ¿Cómo definiría la fidelidad y qué sentido amplio tiene la misma en el matrimonio? ¿Tiene la fidelidad un sentido exclusivamente sexual? ¿Qué abarca? _____ _____

17. En su opinión, ¿qué importancia tiene el perdón real y sincero para la vida matrimonial? _____

18. ¿Cuántas veces está dispuesto a perdonar y olvidar? _

Comenzamos el capítulo con la conocida frase: "La familia que ora unida, permanece unida." Pero no es simplemente una frase, sino que se puede demostrar estadísticamente que es una realidad. El número de familias separadas o divorciadas es infinitamente menor entre personas que oran juntas, que entre aquellas otras que nunca lo hacen. Es decir, que el conocimiento de Dios y su presencia real en la vida de los matrimonios y de las familias es lo que hace que todo pueda ser diferente.

6

¿Qué es para ustedes ser marido y ser mujer?

Paco y Ester están realmente contando los días que les faltan para unirse en matrimonio. Se hallan muy ilusionados con la perspectiva de su vida en común. Aprovechan al máximo cada segundo que pueden para estar juntos. No cesan de hablar y de hacer planes. Acuden con gusto a las reuniones de orientación prematrimonial porque notan cómo sus ojos se abren a unas realidades que nunca antes habían considerado. Se sienten cada día más unidos y seguros en su relación porque se conocen mejor y porque han hablado muy francamente sobre aspectos importantes de la vida matrimonial.

Para la próxima reunión tienen el encargo de reflexionar acerca del papel que cada uno va a desempeñar como esposo y esposa. Van a dialogar sobre cómo ven cada uno de ellos *su* papel y cómo lo ve el otro y cómo espera que se lleve a cabo.

Paco y Ester apenas se dan cuenta ahora de que iban al matrimonio con ciertas ideas y expectativas preconcebidas sobre el papel de cada uno. Es la consecuencia lógica de los conceptos que se fueron forjando en sus mentes en base a sus tradiciones culturales, ejemplos familiares y otras influencias. Si resulta que tales perspectivas coinciden habrá armonía y felicidad. Pero si sus conceptos son diferentes y cada uno los sostiene con energía se producirán entonces tensiones y desavenencias y, quizá, rupturas.

He leído y lo he verificado varias veces, comprobando que es correcta la afirmación, que las parejas cometen al menos uno o varios de los siguientes errores en sus conceptos y expectativas matrimoniales:

1. La pareja supone antes del matrimonio que están de acuerdo en los asuntos importantes del matrimonio y nunca los discuten en detalle.

2. Saben que no están de acuerdo en algunas cosas, pero no le dan importancia. En realidad, no saben hasta qué punto están en desacuerdo, ni tampoco pueden resolver sus diferencias porque nunca hablan acerca de ello.

3. Pretenden estar de acuerdo con la otra persona cuando en realidad no lo están.

4. Piensan que después del matrimonio lograrán convencer a su pareja en cuanto a su punto de vista.

5. Creen que el gran amor que se tienen vencerá todos los obstáculos y dificultades.

Cuando las parejas actúan así están, lamentablemente, engañándose a sí mismas. Están presentando una cara de su relación que no es real ni verdadera. Dan la apariencia de acuerdo en la superficie, pero tal armonía no existe en el fondo.

Sin embargo, tarde o temprano, de una u otra manera, se verán forzados, bajo las condiciones reales de la vida matrimonial, a ser sinceros y encarar la verdad. La realidad se impondrá sobre ellos después de la boda. Y cuando sus esperanzas no se cumplan se sentirán profundamente desilusionados. O se sentirán frustrados porque ven cómo la otra parte espera o demanda de ellos cosas en forma excesiva y poco razonable.

Se darán cuenta de que se equivocaron al pensar que era fácil manipular a la otra persona y hacerla pensar como nosotros pensamos. También se convencerán de que con sólo amor no se solucionan todos los problemas.

Como ya hemos repetido varias veces, es muy importante para su relación futura que dialoguen seriamente sobre lo que esperan el uno del otro como marido y mujer, y lleguen a un buen acuerdo acerca de lo que bíblica y razonablemente cabe esperar. No deben permitir quedar atrapados en condicionamientos culturales o tradiciones familiares si éstos no les ayudan en su situación particular y concreta. Cada pareja debe organizar su vida matrimonial conforme a sus necesidades y posibilidades, y a la luz del modelo familiar básico que Dios nos ofrece en su Palabra.

Consideremos cuál es el plan de Dios para el esposo y la esposa. Lean cada uno de ustedes las referencias bíblicas que se sugieren y hagan después una descripción escrita de lo que es una esposa y esposo según Dios. Hagan el trabajo por separado. Intercámbiense y lean las respectivas descripciones y seguidamente dialoguen sobre sus conclusiones.

El diseño bíblico de esposo y esposa

I. *El esposo*

Lea cuidadosamente los siguientes pasajes y anote las diferentes expresiones que describen al esposo:

- Génesis 2:18-25
- Proverbios 31:10-31
- Efesios 5:25-33
- Colosenses 3:19
- 1 Timoteo 3:4, 5; 5:8
- 1 Pedro 3:7, 8

Después, utilizando los elementos encontrados, escriba su descripción de lo que es un esposo según la Biblia.

II. *La esposa*

Examine con cuidado las siguientes referencias bíblicas y anote las diferentes expresiones que describen a la esposa:

— Génesis 2:18-25
— Proverbios 18:22
— Proverbios 31:10-31
— Efesios 5:22-33
— 1 Pedro 3:1-8
— Tito 2:4, 5

Utilizando los elementos encontrados, escriba su descripción de lo que es una esposa según la Biblia.

Los modelos hechos carne[1]

I. *Para el novio*

Tenga una entrevista con un esposo y padre bien considerado y respetado como tal en su comunidad. Pregúntele:

1. ¿Cuáles son las responsabilidades del esposo para con la esposa?
2. ¿Qué quiere decir la Biblia al enseñar que el hombre es cabeza de la mujer?
3. ¿Qué significa e involucra ser cabeza del hogar?
4. ¿Cómo puede uno conocer y satisfacer las necesidades básicas de la esposa?

II. *Para la novia*

Visite a una esposa y madre bien conocida y respetada en su medio y dialogue con ella sobre los siguientes aspectos:

1. ¿Cuáles son los deberes de una mujer para con su marido?
2. ¿Qué quiere decir la Biblia por "sujetarse" al marido?
3. ¿Qué significa ser "ayuda idónea" para su marido?
4. ¿Cómo puede una esposa estar "sujeta a su marido" y, a la vez, cultivar su propia personalidad y los talentos propios que Dios le dio?
5. ¿Cómo puede una esposa recordar, corregir y aconsejar a su marido sin caer en el hábito de quejarse y criticar continuamente?

Evaluándose

Si ustedes van a ser un buen esposo y esposa, los elementos básicos deben estar ya presentes en sus vidas. Aquí enumeraremos aquellos aspectos del comportamiento que son esenciales para una buena relación de marido y mujer. Evalúense ustedes mismos como futuros esposo y esposa. Después, compartan los resultados. Señalen bien aquellos aspectos en los que sienten que deben mejorar.

I. *Para el futuro esposo*

Califiquen de la manera siguiente:
1 =   Siempre; 2 = Generalmente sí; 3 = A veces; 4 = Nunca

	Evaluación de él	Evaluación de ella
1. Cumplo mis citas con ella y soy puntual. Cuando no me es posible serlo, aviso con tiempo	_____	_____
2. Muestro respeto y consideración por ella delante de la gente	_____	_____
3. Hablo acerca de las mujeres de manera que es evidente que no las considero inferiores	_____	_____
4. Le dedico todo el tiempo que honradamente puedo	_____	_____

5. Le hablo diciéndole qué hago, a dónde voy, cuándo la volveré a ver, y qué involucran mis compromisos

6. La escucho con atención aunque me esté hablando de cosas en las que no estoy muy interesado

7. Busco sus cualidades positivas y hablo acerca de ellas

8. Presto atención a sus consejos y sugerencias sin sentirme mal porque me lo diga ella

9. Le ayudo en lo que ella me solicita y yo realmente puedo hacerlo

10. Evito gritarle, hablarle rudamente y abusar de ella de alguna forma

11. Muestro claramente que ella es mi relación más importante después de Dios

12. Evito insistir y presionarla para salirme con la mía y por encima de todo

13. Procuro mantenerme flexible y ceder para agradarle en aquellos asuntos que no afectan a los principios ni a la conciencia

14. Evito hacer montañas de cosas pequeñas

15. Aparezco ante ella lo más aseado y presentable posible

16. Procuro aprender a ser el líder que un hogar necesita

17. Gasto el dinero con prudencia

18. Todos ven que soy trabajador y capaz de atender a las necesidades de un hogar

19. Me esfuerzo por hacer feliz a la gente. Soy una persona tratable que evita crear tensiones innecesarias

20. Le comunico mis planes y cuento con ella en las decisiones importantes   _____   _____

Agreguen otros aspectos de las relaciones que sean importantes para ustedes.

II. *Para la futura esposa*

Califiquen de la siguiente manera:
1 = Siempre; 2 = Generalmente sí; 3 = A veces; 4 = Nunca

	Evaluación de él	*Evaluación de ella*
1. Mi apariencia es limpia y atractiva, de manera que él se sienta siempre orgulloso de presentarme como su prometida.	_____	_____
2. Muestro respeto y admiración por mi novio. No le comparo desfavorablemente con otros hombres, sino que le muestro que le considero por encima de los demás hombres	_____	_____
3. Le apoyo en sus decisiones y le ayudo a lograrlas	_____	_____
4. Soy sensible a sus problemas y necesidades y procuro ser para él una ayuda y estímulo	_____	_____
5. Mi cuarto y mis cosas están limpios y ordenados	_____	_____
6. Soy cuidadosa en el uso del dinero. Más bien soy ahorrativa	_____	_____
7. Soy alegre y optimista. No me paso el rato quejándome ni criticando	_____	_____
8. En cosas que no son de principios ni de conciencia, le permito a él tener la última palabra cuando no estamos de acuerdo	_____	_____
9. Evito exagerar la importancia de las cosas pequeñas	_____	_____

10. Muestro cortesía y consideración hacia sus padres y otros familiares _____ _____

11. Evito ser posesiva y caprichosa _____ _____

12. Manifiesto interés en su trabajo y reconozco que a veces tiene que dedicarle más tiempo que el normal _____ _____

13. Cumplo puntualmente con mis compromisos. Aviso con tiempo si necesito hacer cambios _____ _____

14. No utilizo amenazas ni castigos para conseguir lo que quiero _____ _____

15. Procuro acoplarme a él en todo lo que es posible _____ _____

16. Trato de actuar de tal manera que él quede siempre en buen lugar _____ _____

17. Busco su opinión y consejo en las decisiones importantes _____ _____

18. No consiento que otras personas o compromisos interfieran con el tiempo que le dedico a él _____ _____

19. Comparto con él mis ideas, sueños, alegrías y experiencias _____ _____

20. Le dejo que sea el líder y le ayudo a crecer en su papel de ser la cabeza _____ _____

Agreguen otros puntos que sean importantes para ustedes.

Como sugerimos arriba, fíjense cuidadosamente en aquellas áreas en que aparezcan más débiles, dialoguen sobre el particular con franqueza y hagan planes bien definidos para fortalecer las áreas débiles. No se excusen diciendo aquello de "¡algún defectillo tenía que tener!" La vida matrimonial no aguanta muchos defectillos de esta naturaleza. Su meta es ser felices y desarrollar un carácter cristiano que dé honra a Dios.

Notas

1 Esta sección está siguiendo de cerca ideas vertidas por David y Vera Mace en varios de sus libros. Otros autores aportan también ideas parecidas.

7

¿Cómo va la comunicación entre ustedes?

Paco y Ester pensaban que se comunicaban bien entre ellos. Después de todo, desde que comenzaron su noviazgo no han cesado de hablarse el uno al otro. Se hablan con todo su ser y con todos los elementos que tienen a mano: miradas, guiños, gestos, ademanes, besos, abrazos, caricias, obsequios, sonrisas, palabras, cartas, llamadas telefónicas. Todo ese arsenal constituye unos pocos de los muchos recursos comunicativos que Paco y Ester poseen. ¡Qué más podemos pedir! Si, como se suele decir, ¡hablan hasta por los codos!

Hasta que participaron en las reuniones de orientación prematrimonial no se percataron de lo que significa comunicarse en profundidad. Entonces se dieron cuenta de que se habían estado comunicando en un nivel muy superficial. Su comunicación era estilo iceberg, ocultaban bajo la superficie mucho más de lo que mostraban. No lo hacían a propósito o con mala intención, pero sucedía.

Definamos la comunicación

Alguien la ha definido diciendo que "la comunicación es a la relación lo que la sangre es a la vida".

Comunicar es transmitir un mensaje en la forma más

efectiva posible, con el fin de que la persona que tiene que recibirlo lo capte y lo entienda.

Comunicarse no es sólo *hablar,* incluye también *recibir* correctamente el mensaje. De lo que se infiere que escuchar con atención es una parte importante de la comunicación efectiva. Comunicar requiere que los que se comunican utilicen conceptos, términos y señales que tienen el mismo significado para ambas partes. Involucra que los dos tengan la voluntad de oírse y entenderse, de manera que el diálogo les estimule, enriquezca y acerque.

Niveles de comunicación

El psicólogo John Powell señala que los seres humanos nos comunicamos al menos en cinco niveles.[1]

El quinto nivel lo constituye la conversación de cliché. Este tipo de diálogo no nos compromete. Usamos frases como: "¿Qué tal está usted?" "¡Qué día tan precioso hace!" "Me gusta su corbata." Nadie arriesga nada, cada cual permanece bien protegido detrás de sus defensas.

El cuarto nivel es el compartir información acerca de cosas o personas. Aquí simplemente nos arriesgamos a expresar lo que otros dicen, pero sin ir más allá.

En el tercer nivel empieza realmente la verdadera comunicación porque empezamos a compartir ideas y juicios. La persona se arriesga a salir de su caparazón protector y a aventurar interpretaciones y comentarios sobre lo que sucede. Si percibe que lo que dice no es aceptado, puede que se retire rápidamente a sus trincheras.

El segundo nivel de comunicación es aquel en el que expresamos sentimientos y emociones. En este nivel la persona comparte sus sentimientos acerca de hechos, ideas y juicios. Una persona solamente se abre a otra cuando comparte con ella sus sentimientos profundos.

En el primer nivel es donde se establece una completa comunicación emocional y personal. Toda relación profunda y estable se debe basar en una apertura absoluta y honrada. Esto puede ser difícil de conseguir, porque involucra el riesgo de ser rechazado. Al mostrar cómo realmente pensamos, sentimos y somos podemos ser rechazados y esto es doloroso. Pero es vital si deseamos que la relación crezca. En realidad, la persona que está pensando en casarse en breve no debería tener temor a esas alturas de mostrarse como verdaderamente es, porque ya sabe que es amada y aceptada tal cual es. Hay momentos en la vida de los matrimonios en que este tipo de comunicación no es como debiera ser.

Paco y Ester empezaron a comunicarse verdaderamente al abrirse por completo y con sinceridad el uno al otro.

Dificultades causadas por la comunicación defectuosa

La mayoría de los consejeros matrimoniales coinciden en que la mala comunicación es en las más de las veces la causa primera de las dificultades matrimoniales. Generalmente se reconoce que una comunicación defectuosa trae resultados desastrosos. Los conflictos y los malentendidos se perpetúan. Las ideas y conceptos equivocados quedan sin corregirse. Las barreras se hacen cada vez más elevadas. La unidad y la intimidad se dificultan. Los problemas permanecen sin resolver. La tentación de buscar a alguien que nos comprenda aparece con mayor insistencia.

Una comunicación apropiada y continuada es, sin duda, la clave para establecer y mantener una relación matrimonial profunda y satisfactoria.

Hay muchas personas con las que es fácil establecer desde el principio una buena comunicación. Parece como si estuvieran hechos de cristal. Hablan con gran franqueza y libertad de lo que piensan y sienten. Escuchan respetuosamente a los demás y responden en forma apropiada. Son capaces de estar en desacuerdo con los demás y de discutir acerca de sus diferencias de opinión. Se entienden con casi todo el mundo. Su conversación es siempre sana, limpia, positiva, edificante y beneficiosa. ¡Qué gran bendición es tener amigos y familiares así! Pero no todos son así. Otros tienen una personalidad más compleja y la comunicación con ellos se hace más dificultosa.

Si usted piensa que su comunicación con su novia/novio es satisfactoria, ¡no cante victoria ni se duerma en los laureles! Siga el consejo de Jesucristo: "Velad y orad." Muchos que decían que entre ellos no tenían secretos, que se gozaban en compartir, que resolvían bien sus desacuerdos, que se escuchaban el uno al otro; de pronto se encuentran con que no saben lo que les pasa. Cuando hablan terminan invariablemente discutiendo. Parece como si ahora se hubieran especializado en un diálogo de sordos. Ya no se entienden. El resultado es que la relación se deteriora, la intimidad va desapareciendo, la pareja se distancia y el rompimiento está quizá a la puerta.

La comunicación es un arte que se puede aprender[2]

Aunque la falta de comunicación es el problema más común en el matrimonio, es el más fácil de tratar, si las personas quieren realmente resolverlo. Podemos aprender a comunicarnos porque Dios no sólo nos ha dado la habilidad sino también el deseo de compartir con otros. Deseamos compartir nuestras más profundas esperanzas, nuestros temores y gozos. Deseamos en lo más profundo de nuestro ser dar y recibir amor sin reservas.

Debido a esta necesidad y deseo básicos la comunicación puede ser muy estimulante y gozosa. Existen pocas alegrías comparables con el gozo de unos esposos que saben cómo compartir profundamente, que conocen la libertad de expresarse tal cual son y que saben que, independientemente de lo que comparten, se van a seguir amando y aceptando el uno al otro.

Los esposos pueden ser, y deben ser, el uno para el otro los mejores psiquiatras. ¿Por qué? Porque, primero, el amor está presente; segundo, muchas necesidades psicológicas se satisfacen y resuelven al compartir con otro los sentimientos y emociones. Al compartir se alivian las tensiones y las cargas.

Dentro de diez años probablemente no recordarán casi nada de lo que están leyendo, pero si recuerdan algo, quiero que sea lo siguiente: el grado en que su matrimonio triunfe o fracase estará directamente relacionado con su habilidad para comunicarse el uno con el otro, de comprender y ser comprendido.

Responda al siguiente cuestionario

Después de realizado individualmente, muéstrense los resultados y dialoguen sobre el particular.

1. ¿Cómo definiría usted la *comunicación?* _____
   _____
   _____

2. Defina ahora qué es *escuchar* _____
   _____
   _____

3. Cuando *escucha,* ¿reacciona impulsivamente o reflexiona sobre lo comunicado? _____

4. Cuando escucha algo que no le gusta o el tono de voz es

desagradable, ¿se esfuerza por entender el mensaje desde punto de vista del que habla? _____

5. ¿Qué es para usted comunicarse bien con otra persona? _____

_____

_____

6. ¿En qué nivel de los señalados en ese capítulo se desarrolla su comunicación? _____

_____

7. ¿Cómo se comunica usted con su novia/novio en las siguientes áreas?
(Califique señalando *Bien, Regular, Mal*)

a. Problemas, fracasos, derrotas   _____

b. Alegrías, victorias, éxitos   _____

c. Deseos, intereses, aspiraciones   _____

d. Finanzas   _____

e. Sexo   _____

f. Asuntos familiares   _____

g. Planes, metas, propósitos   _____

h. Asuntos espirituales   _____

8. ¿Cuáles son los factores que han dificultado la comunicación satisfactoria con su novia/novio u otras personas?

_____

_____

9. ¿Cuáles son las formas de comunicación no-verbal que más usa usted con su novia/novio y ella/él con usted?

Indíquelas _____

_____

_____

10. ¿Se considera usted un buen comunicador? _____

¿Por qué? _____

_____

Enseñanza de la Biblia acerca de la comunicación

Otro aspecto importante de la comunicación satisfactoria es saber qué evitar en cuanto a las palabras y tonos que empleamos. La Biblia dice mucho sobre la manera en que debemos usar nuestra lengua y la forma en que conviene hablarse el uno al otro.

Lean los versículos siguientes y señalen la idea principal en cada uno de ellos. Luego reflexionen sobre lo leído y consideren la manera en que les habla esta enseñanza bíblica a su propia relación.

1. Proverbios 4:20-23 _____

2. Proverbios 6:12, 14, 18 _____

3. Proverbios 10:19 _____

4. Proverbios 11:9 _____

5. Proverbios 11:12, 13 _____

6. Proverbios 12:16 _____

7. Proverbios 12:18 _____

8. Proverbios 13:3 _____

9. Proverbios 14:29 _____

10. Proverbios 15:1 _____

11. Proverbios 15:4 _____

12. Proverbios 15:28 _____

13. Proverbios 15:23 _____

14. Proverbios 15:31 _____

15. Proverbios 16:1 _____

16. Proverbios 16:2 _____

17. Proverbios 16:13 _____

18. Proverbios 17:9 _____

19. Proverbios 17:27, 28 _____

20. Proverbios 18:2 _____

21. Proverbios 18:8 _____

22. Proverbios 18:13 _____

23. Proverbios 18:15 _____

24. Proverbios 18:21 _____

25. Proverbios 19:5 _____

26. Proverbios 19:11 _____

27. Proverbios 19:19 _____

28. Proverbios 19:20 _____

29. Proverbios 20:19 _____

30. Proverbios 21:9 _____

31. Proverbios 21:23 _____

32. Proverbios 21:28 _____

33. Proverbios 25:11 _____

34. Proverbios 25:15 _____

35. Proverbios 26:4 _____

36. Proverbios 26:18, 19 _____

37. Proverbios 26:22, 23 _____

38. Proverbios 29:5 _____

39. Proverbios 29:20 _____

40. Salmo 141:3 _____

41. Isaías 50:4 _____

42. Eclesiastés 12:10 _____

43. Gálatas 5:13 _____

44. Romanos 13:7, 8 _____

45. Mateo 19:3, 4 _____

46. Mateo 7:12 _____

47. Efesios 4:14-25 _____

48. Efesios 4:29 _____

49. Efesios 4:31 _____

50. Colosenses 3:8, 9 _____

51. Santiago 1:19 _____

52. Santiago 3:8-10 _____

53. 1 Pedro 3:10 _____

A estas alturas, Paco y Ester ya se han dado cuenta de la tremenda importancia que tiene la buena comunicación para el éxito en la vida matrimonial. Reconocen que sin comunicación no puede existir la relación. Y se han dado cuenta cabal de que en el nivel en que nos comunicamos es el nivel en el que vivimos. Han prometido escucharse el uno al otro atentamente tanto como hablar. Hablar es sólo una parte de la comunicación. Han propuesto escucharse y esforzarse por entender bien lo que cada uno le quiere decir al otro. Se han comprometido también a no sólo decir siempre la verdad, sino decirla en amor y con los tonos apropiados. Pero si alguna vez las palabras no salen en la manera que más les gustaría oírlas, se esforzarán por captar el mensaje y la verdadera intención del mismo. Se han comprometido, por último, a procurar estar siempre atentos a los mensajes no verbales que continuamente emitimos los seres humanos. Frecuentemente decimos más cuando no hablamos que cuando hablamos.

En fin, Paco y Ester se han comprometido a hacer todo lo que esté en sus manos para comunicarse satisfactoriamente.

Notas

[1] Estos cinco niveles, según Powell, aparecen y son considerados por N. Norman Wright en su libro *Communication: Key to Your Marriage* (Comunicación: Clave para su matrimonio) Ventura, California: Regal Books, 1980), págs. 67, 68.

[2] Esta sección está inspirada por los pensamientos de John M. Drescher, que aparecen en su libro *You Can Learn to Communicate as Husband and Wife*, (Ustedes pueden aprender a comunicarse como esposo y esposa) (Grand Rapids, Michigan: Baker Book House, 1983), págs. 5, 6. Usado con permiso.

8

¿Cómo piensan administrar su dinero?

No se exagera al decir que el dinero es, después de Dios y del sexo, el elemento de mayor incidencia en la vida humana. Nos acompaña y nos afecta de mil maneras desde la cuna hasta la sepultura. Y también está presente de una u otra forma en buena parte de los conflictos que se producen en el seno de la familia. Muchas veces sucede que las discusiones más desagradables e hirientes entre seres queridos se producen por causa del dinero.

Se estima que al menos uno de cada cinco divorcios se debe al factor dinero. Y generalmente la parte más difícil de solucionar en los divorcios es el reparto de las posesiones familiares.

Otras veces acontece que el dinero es usado como elemento de poder por aquel que lo controla. Se utiliza para manipular a las personas y conseguir de ellas lo que se quiere. Semejante conducta termina produciendo mucho resentimiento y espíritu de venganza en quienes lo padecen. Por todo esto es tan importante que una pareja que está pensando en casarse dialogue sobre cómo van a administrar su dinero.

Para bien o para mal, Ester ya no responde a su Paco como le respondió a su novio aquella romántica y enamorada señorita de antaño, que cuando aquél le proponía casarse y le hablaba de lo poco con que contaba para sostener el hogar, exclamó: "¡Contigo, pan y cebolla!"

La sociedad de consumo en la que vivimos nos arrastra a ser

más ambiciosos y prácticos. Además, está la oferta tentadora, incitante y deslumbrante del sistema de crédito, que nos propone: "Disfrútelo hoy, mientras que lo va pagando."

A tal punto se nos filtra el espíritu materialista que muchos se comportan como si el dinero fuera lo más importante en la vida, o como si la vida consistiera en la abundancia de los bienes que poseemos. Así es como el dinero llega a ser el elemento dominante en muchas vidas.

A veces, una de las primeras preguntas que un padre preocupado suele hacer a un pretendiente de su hija es qué empleo tiene o cuánto gana. Más de un casamiento se ha llevado a cabo por el interés del dinero. Si él o ella no hubiera tenido riquezas los pretendientes ni se habrían acercado. Era el dinero y no las personas lo que les atraía e interesaba. Si el elemento monetario desaparecía, también se esfumaba el amor y los deseos de casarse.

No podemos, sin embargo, caer en el extremo opuesto y menospreciar el dinero, pensando en que hay algo intrínsecamente malo en el mismo. Nos guste o no, no podemos funcionar en esta tierra sin un poco de dinero. Así que Paco y Ester por muy enamorados que estén y por muy románticos y espirituales que sean, no podrán evitar pensar en el dinero. Dios tampoco se los prohíbe.

Para una consideración más completa del tema de la administración familiar, sugiero que lean el libro *Cuando el dinero causa problemas,* publicado por Editorial Mundo Hispano.

Enfoquen ahora sus reflexiones y diálogos sobre las finanzas familiares en las siguientes áreas:

I. *Sus respectivas familias y las finanzas*

No podemos evitar que lo que hemos visto y experimentado en el hogar de nuestros padres nos afecte y condicione hasta cierto punto. Repasen lo experimentado en sus respectivas familias y dialoguen acerca de cómo les puede beneficiar o perjudicar.

1. ¿Cuáles son las actitudes de sus respectivos padres en relación con el dinero? _____

_____

2. ¿Discuten entre ellos por causa del dinero? _____

_____

3. ¿Toman decisiones *juntos* en relación con el dinero?

_____

_____

4. ¿Son gastadores o ahorradores? _____

_____

5. ¿Se administran mediante un presupuesto y se sujetan a él cumpliéndolo fielmente? _____

_____

6. ¿Les interesa seguir el modelo de sus padres o ven la conveniencia de seguir su propio modelo inspirados en la enseñanza bíblica? _____

II. *Dios y la administración del dinero*

1. ¿Qué concepto tienen sobre la mayordomía cristiana?

_____

_____

2. ¿Han hablado y han decidido ya apartar fielmente su ofrenda para el Señor? _____

_____

3. Busquen los siguientes versículos de la Biblia y señalen el pensamiento esencial que enseñan:

Génesis 1:26-31 _____

Deuteronomio 8:17, 18 _____

1 Crónicas 29:9-14 _____

Salmos 24:1 _____

Proverbios 11:24, 25 _____

Proverbios 11:28 _____

Proverbios 11:28 _____

Proverbios 16:16 _____

Proverbios 20:4 _____

Eclesiastés 5:10 _____

Malaquías 3:10 _____

Mateo 6:19, 20 _____

Lucas 12:13-21 _____

Romanos 13:6-8 _____

2 Corintios 9:6, 7 _____

Filipenses 4:11-19 _____

2 Tesalonicenses 3:7-12 _____

1 Timoteo 6:6-10 _____

1 Timoteo 6:17-19 _____

Hebreos 13:5 _____

Como ven, el Señor no nos ha dejado sin orientación sobre las finanzas. En su Palabra nos da principios y directrices que nos guían y ayudan. Permitan que la Palabra y el Espíritu de Dios moldeen sus pensamientos y actitudes en esta área tan importante de su vida y relaciones. Permitan también que el Señor les vaya haciendo a los dos de un mismo parecer.

III. *Consideraciones prácticas acerca de su propia administración familiar.*

1. ¿Cómo piensan atender a sus necesidades materiales básicas como matrimonio y proveer para las necesidades

   futuras? _____

   _____

2. ¿Cuentan ya con los estudios o con la capacitación profesional necesaria para conseguir un trabajo que les

   proporcione ingresos regulares mínimos? _____

   _____

3. ¿Va a trabajar sólo él o los dos? _____

4. Si van a trabajar los dos, ¿van a tener un fondo común o

   cuentas separadas? _____

5. ¿Quién y cómo va a administrar las finanzas familiares?

_____

¿Quién de los dos es mejor administrador? _____

6. ¿Saben cómo elaborar un presupuesto de ingresos y gastos a fin de conocer exactamente cuánto van a recibir y cuánto pueden gastar? _____

7. ¿Creen que es conveniente para el bien familiar hacer compras sin el conocimiento y consentimiento del otro?

_____

8. ¿Cuál piensan que es el verdadero problema de muchas familias: la cantidad de dinero de que disponen o la mala administración que tienen? _____

9. ¿Qué concepto tienen acerca del dinero familiar? ¿Quién es el "dueño" del dinero, Paco, Ester o los dos conjuntamente? _____

10. Si él sale a trabajar fuera y ella queda en casa cuidando del hogar, ¿piensa que ella también "trabaja" y "aporta" al hogar? _____

11. ¿Qué piensan sobre las facilidades de crédito? _____

12. ¿Piensan que es sabio endeudarse para largos años, por el afán de tener su apartamento bien amueblado y equipado, como lo tienen sus amigos? _____

13. ¿Creen que quizá sería mejor endeudarse menos, aunque dispongan ahora de menos cosas y no se pueda presumir tanto, y dedicar más tiempo y dinero a seguir capacitándose profesionalmente? _____

_____

14. ¿Son capaces de resistir la presión de la sociedad de consumo que nos incita a comprar para tener todo lo que tienen los demás?_____

15. ¿Han pensado en ahorrar un poco cada mes previniendo para el futuro? ¿Lo creen imposible? ¿Por qué? ____

_____

16. ¿Qué cantidad han calculado que puede tener cada uno por mes para sus gastos personales? _____
_____

17. ¿Han pensado en los efectos (positivos y negativos) que tendrá sobre su vida matrimonial si él tiene que trabajar horas extra para poder cumplir con todas las obligaciones de pagos que quizá están contrayendo por causa de la boda y el matrimonio? _____
_____

18. ¿Qué consideran que vale más, tener su casita equipada con todo detalle para poder "presumir" ante sus amistades o que ustedes puedan dedicarse el uno al otro el tiempo que de verdad necesitan para edificar su vida matrimonial? _____
_____

19. No sé si la legislación es igual en todos los países de habla hispana, pero sé que en algunos sucede: ¿sabe que si la casa en la que van a vivir como matrimonio la han adquirido con el esfuerzo de ambos y no hacen testamento a favor uno del otro, y uno de los dos fallece sin haber tenido aún hijos, puede verse obligado/a a vender la propiedad y quedarse prácticamente en la calle? _____
_____

20. ¿Se comprometen delante de Dios a no utilizar nunca el dinero como elemento de presión y de manipulación del uno sobre el otro? _____
_____

9

¿Cómo expresarán correctamente su sexualidad?

Señor, ¡cuán difícil es saber lo que el sexo realmente es!
¿Es acaso algún demonio para atormentarme aquí?
¿O es un delicioso escapismo de la realidad?
No es nada de eso, Señor.
Ya sé lo que es el sexo:
    Es cuerpo y espíritu,
    Es pasión y ternura,
    Es un abrazo fuerte y un gentil tomar la mano,
    Es desnudo completo y escondido misterio,
    Son lágrimas de gozo de rostros en luna de miel,
    Y son lágrimas en caras arrugadas en aniversarios de
        bodas de oro.
El sexo es una mirada tranquila a través del cuarto,
    Una nota de amor sobre la almohada,
    Una rosa sobre el plato del desayuno,
    Risa de armonía en la noche.
El sexo es vida —aunque no toda la vida,
    Es deleite envuelto en el significado de la vida.
Sexo es tu don, Señor,
    Para enriquecer la vida,
    Para continuar la carrera,
    Para comunicarse,
    Para mostrarme quién soy,
    Para revelar a mi pareja,
    Para llegar a ser "una sola carne".

> Señor, algunos dicen que el sexo y la religión no
> combinan;
> Pero tu Palabra afirma que el sexo es bueno.
> Ayúdame a conservarlo como cosa buena en mi vida,
> Ayúdame a mantenerme abierto acerca del sexo,
> y todavía protegerme de su misterio.
> Ayúdame a ver que el sexo no es ni demonio ni deidad.
> Ayúdame a no huir a un mundo de fantasías,
> imaginándome otras parejas en lo sexual.
> Consérvame en el mundo real para amar a la gente que
> tú has creado.
> Como cristiano que soy,
> Enséñame, Señor, a que no me sonroje por la realidad
> sexual.
> A muchos se les hace difícil decir: "¡Gracias Señor por
> el sexo!"
> Porque para ellos el sexo es más un problema que un
> don.
> Necesitan saber que el sexo y el evangelio pueden
> unirse otra vez.
> Necesitan escuchar las buenas nuevas sobre el sexo.
> Muéstrame, Señor, cómo puedo ayudarles.
> Gracias, Señor, porque me hiciste un ser sexual.
> Y gracias por mostrarme cómo tratar a otros con
> confianza y amor.
> Gracias por permitirme hablar contigo acerca del sexo.
> Gracias porque me siento libre para decir:
> "¡Gracias, Dios por el regalo del sexo!"[1]

Algunas personas se sienten algo incómodas o avergonzadas cuando hay que hablar acerca de la sexualidad humana. Pero cuando estamos pensando en el matrimonio no podemos evitar hablar sobre el tema, ni debemos. Hay que hacerlo, porque como dijo el poeta citado, la sexualidad es parte muy importante de la vida. No es toda la vida, pero está profundamente involucrada en el significado de la vida. Considerar este aspecto de la relación es vital para la preparación matrimonial.

No nos avergoncemos de hablar de aquello que el buen Dios no se avergonzó en crear. El nos habla bastante en su Palabra sobre la sexualidad y cuando lo hace no oculta su rostro como avergonzado ni dice chistes desagradables. Lo hace de manera sana, discreta y considerada. Así que pidan al Señor fuerzas y sabiduría y dialoguen sobre el asunto.

Sean abiertos y sinceros entre ustedes y con su pastor o consejero acerca de sus pensamientos y sentimientos sobre la sexualidad. Si se sienten turbados o piensan que son asuntos muy personales, compártanlos con ellos también. Callar en estos momentos no es prueba de cordura, sino de imprudencia.

Estamos de acuerdo con Harry Hollis en que el sexo es uno de los grandes dones que Dios nos ha dado. Dentro del contexto del matrimonio tiene el propósito de ser una bella expresión de amor y unidad. Pero como ustedes ya habrán observado, la humanidad ha pervertido algo que en el propósito de Dios es sano, limpio y bello.

Para algunos la relación sexual es casi el todo en su vida matrimonial. Necesitan disfrutar de la fiesta constantemente para sentir que su matrimonio no es un desastre. Esa es la vara con la que miden su vida conyugal. Otros, por el contrario, son más fríos o indiferentes. Si coinciden dos personas que son el polo opuesto en esta área, van a encontrarse sin tardar con serios problemas si no llegan pronto a mutuos acuerdos que dejen satisfechas a ambas partes. Otros, probablemente la mayoría, son normales y no sufren tantas tensiones. Pero en cualquier caso, sean cristianos o no, es alto el número de personas que padecen de dolores de cabeza y de corazón en su vida matrimonial debido a sus desajustes y desacuerdos en cuanto a la relación sexual. Reflexionen cada uno en privado sobre los siguientes aspectos de la sexualidad y vayan preparados a la sesión para dialogar juntos con la ayuda de su consejero:

1. ¿Qué es para usted la sexualidad humana? ¿Qué concepto tiene sobre la misma? ¿Qué abarca? ¿Cómo se expresa? _____

   _____

   _____

2. ¿Cuál fue la actitud de sus padres hacia el sexo? ¿Hablaba con ellos libremente de los asuntos relacionados con el sexo o nunca los trataban en familia? ___

   _____

   _____

3. ¿Le respondían con naturalidad o fue para ellos algo

embarazoso y complicado? _____

_____

_____

4. ¿Cuándo, cómo y dónde supo de dónde venían los niños y cómo eran concebidos? _____

_____

5. ¿Se siente usted mal al hablar con otras personas acerca del sexo? _____

_____

¿Por qué? _____

6. ¿Cree que tener fuertes deseos sexuales en el matrimonio es falta de espiritualidad? _____

_____

_____

7. Al pensar en su próxima boda, ¿cuáles son sus pensamientos y sentimientos sobre la relación sexual? ____

_____

¿Qué espera de esa experiencia? ¿Hay algo que le causa temor o preocupación? _____

_____

8. Explique las diferencias esenciales entre hombre y mujer en su forma de ser y reaccionar en la experiencia sexual _____

_____

_____

9. ¿Qué deben hacer como pareja si surge alguna clase de problema en esta área de su relación? _____

_____

10. ¿Qué es para usted la planificación familiar y la paternidad responsable? ¿Han hablado ya acerca de la familia que quieren y pueden tener y cuándo quieren tenerla?

_____

_____

11. ¿Qué son los anticonceptivos y cómo funcionan? ¿Saben cuáles pueden ser los efectos secundarios de algunos anticonceptivos? ¿Están los dos de acuerdo en cuanto a

su uso? _____

_____

_____

12. ¿Han considerado que la demanda excesiva o el rehusar el acto sexual pueden ser manifestaciones de egoísmo?

_____

_____

_____

13. ¿Tiene usted algún impedimento físico que pueda dificultar la relación sexual normal con su pareja en el

matrimonio? _____

¿Cuál? ¿Hay algo que le impida hablar sobre el particular con su pareja? _____

_____

_____

14. ¿Cuáles son, según la Biblia, los propósitos de la relación

sexual en el matrimonio? _____

_____

_____

15. ¿En qué sentido la relación sexual es una forma de

comunicación? _____

_____

16. ¿En qué forma y sentido pueden las experiencias diarias impedir que la relación sexual sea satisfactoria y gratificante para ambos? _____

_____

_____

17. ¿Qué concepto tiene sobre la fidelidad sexual en el matrimono? _____

_____

_____

18. ¿Por qué el adulterio resulta tan difícil de perdonar?

_____

_____

_____

19. ¿Cómo responderá si se siente atraído/a por otra persona del sexo opuesto distinta de su cónyuge? _____

_____

_____

20. ¿Qué diferencia de conceptos y actitudes encuentra entre el enfoque cristiano-bíblico sobre el sexo y el que prevalece en el mundo? _____

_____

21. ¿Ha leído un buen libro sobre la técnica de la relación sexual? _____

Si no lo ha leído le convendría hacerlo, pero no lea cualquier cosa. Busque un libro que de verdad sea sano y positivo.

Notas

[1] Tomado con permiso del libro *Thank God for Sex* (Gracias Señor por el sexo), por Harry N. Hollis, Jr., Broadman Press, Nashville, Tennessee, 1975, págs. 11, 12.

10

¿Qué hacer con los conflictos?

Paco y Ester ya saben de estas cosas. En el tiempo que llevan de novios, y a pesar de que están enamoradísimos el uno del otro, han discutido y se han peleado unas cuantas veces. La sangre, afortunadamente, no llegó nunca al río. Y después de la tormenta vino la calma. ¡El reencuentro y la reconciliación les supo a gloria!

Algunos llegan a decir que ellos nunca tuvieron roces o diferencias con sus respectivos cónyuges. Yo no sé qué pensar de estas personas. A veces me parecen los mentirosos más grandes de la tierra. Otras veces pienso que eso sólo sucede cuando uno de los dos está tan sometido a la voluntad del otro que ha dejado de pensar y tener ideas propias. Resulta muy difícil creer que Dios haya hecho alguna vez dos personas tan semejantes que coincidan en todo. Lo natural entre seres humanos con mente y voluntad propias, con personalidad y caracteres diferentes, y que conviven en una relación estrecha, es que se den diferencias de opinión y se produzcan situaciones conflictivas.

Así que seamos realistas y honrados y reconozcamos que los conflictos llegan a todas las parejas, independientemente de cuán buena sea la comunicación que disfrutemos. Y los hogares cristianos tampoco están libres de padecerlos.

Pero cuando la comunicación significativa y la voluntad de superación se han perdido en el matrimonio, las discusiones brotan por la mínima pequeñez. Y a veces llegan a ser tan frecuentes y acaloradas que ambos esposos llegan a pensar que son incompatibles. Cuando tal idea empieza a hacerse fija en la mente de uno o de ambos, la pareja va por muy mal camino.

Quizá conviene aclarar desde ahora mismo que las tensiones y los problemas en las relaciones no se producen tanto por las diferencias de gustos u opiniones en sí, como por nuestras actitudes y reacciones ante las diferencias. Es a las actitudes y reacciones a las que hay que vigilar y controlar, ¡y no es pequeña la tarea!

Primeras áreas de conflictos

Los primeros desacuerdos pueden aparecer poco después de la boda. Cuando ella descubre que su príncipe azul no es tan perfecto como se imaginaba y él se encuentra con que su Blancanieves adorada no es exactamente un ángel caído del cielo. La primera reacción negativa que algunos tienen es querer enrolar a su pareja en la escuela de la reforma marital. Empieza entonces la monumental e imposible tarea de rehacer a nuestros cónyuges conforme al diseño que nos habíamos forjado. Como es natural, él o ella se resisten tenazmente a semejante pretensión y . . . ¡claro, surgen los problemas! ¡Y qué problemas!

Estoy dándole a veces un cierto tinte de humor a este capítulo porque el tema de los conflictos matrimoniales es en las más de las veces como para echarse a llorar. Si fuéramos capaces de inyectarle un poco de buen humor a nuestras discusiones los resultados serían menos dramáticos.

Otra área de posibles conflictos en el matrimonio es la relacionada con el reparto de responsabilidades. En los días de mis padres los papeles de cada uno estaban claramente delimitados desde el principio. El salía a trabajar y ella quedaba en casa cuidando del hogar y de los niños. Ambas tareas eran de tiempo completo. Hoy la situación no es tan clara, especialmente cuando los dos trabajan. Para bien o para mal, esto es cada vez más frecuente. Muchos de estos conflictos pueden eliminarse si existe un buen acuerdo entre los dos y se establecen líneas claras de responsabilidades.

Algo en lo que no debe caber duda desde el principio es en que el esposo es la cabeza del hogar (Ef. 5:22-27; 1 Ti. 3:4, 5). El tiene la responsabilidad de guiar el hogar con amor, sabiduría y firmeza. El debe reconocer, por su parte, que ella es la ayuda idónea dada por Dios (Gn. 2:18; Pr. 31:10-31), y que ella está más dotada y calificada en algunas cosas que él. Y, en consecuencia, los puntos de vista de ella pueden ser los más convenientes en muchas ocasiones.

La tendencia, sin embargo, de nuestro *yo pecador* no es la de servicio, sino la del dominio. Queremos ser el astro rey alrededor del cual gire todo el sistema solar del hogar. Esta tendencia hacia el dominio se da más en el hombre, pero también aparece en muchas mujeres. En algunos matrimonios el problema real de fondo es la lucha por el poder. Y para lograrlo cada cual utiliza las armas de que dispone. Y cuando los dos quieren ser la estrella central en el mismo sistema solar, el resultado es el caos. La gente de mar lo expresa de una manera muy gráfica: "Cuando dos quieren ser capitanes en el mismo barco, terminan hundiendo el barco." Y eso es exactamente lo que ocurre en muchos matrimonios.

Formas de enfrentar los conflictos[1]

James Fairfield ha sugerido cinco maneras de enfrentar los conflictos:[2]

Ceder	Resolver
Avenencia	
Retirarse	Ganar

La primera es *retirarse*. Si tiene la tendencia de ver los conflictos como algo inevitable y sin esperanza, sobre lo cual tiene poco control, quizá ni intente probar. Se retirará dejando la escena física o psicológicamente.

Si siente que sus intereses son lo primero o que su autoestima peligra en un conflicto, usted va a elegir *ganar* por encima de todo. No importa el costo, lo que importa es *ganar*. Dominar es lo primero, las relaciones ocupan un segundo lugar.

Ceder es la actitud del que no quiere arriesgarse a la confrontación directa.

Avenirse es ceder un poco para ganar un poco. Esta persona considera que no se puede ganar siempre, pero tampoco quiere que la otra parte gane siempre.

Puede decidir *resolver* el conflicto. En esta manera de enfrentar los conflictos, la situación, la actitud y el comportamiento cambian mediante la comunicación abierta, directa y honesta.

¿Cuál es su estilo de enfrentar los problemas? ¿Cuál es el de su novia/novio? ¿Qué procedimiento es el más conveniente para ustedes?

Gran interés en la relación

Flojo en	Ceder Resolver	*Fuerte en*
alcanzar	Avenencia	*alcanzar*
metas	Retirarse Ganar	*metas*

Poco interés en la relación

Como puede ver en el diagrama, *retirarse* es la actitud menos valiosa, porque la persona abandona por completo las metas y el desarrollar las relaciones. Si este camino se utiliza temporalmente como un paso para bajar la tensión, enfriar las emociones y *resolver* el conflicto, puede ser beneficioso. Puede haber momentos en que la situación es tan tensa y acalorada que lo mejor es *retirarse*. Pero es importante estar dispuesto a considerar y resolver el conflicto.

Mediante el procedimiento de *ganar* se alcanza la meta, pero se sacrifican las relaciones. Recordemos que conservar las relaciones en la familia es tan importante o más que lograr las metas.

Ceder funciona en el sentido opuesto, las relaciones se mantienen, pero se sacrifican las metas.

La *avenencia* puede ser un buen método con tal de que no se sacrifiquen las convicciones personales y los valores morales.

El estilo que posee los más altos valores es el de *resolver* los conflictos. Permite fortalecer las relaciones y lograr las metas.

Del enfoque apropiado brota la paz y el entendimiento

Los especialistas en la materia sugieren los siguientes pasos para una discusión provechosa que lleva a resolver los conflictos:

Primero, establecer como meta alcanzar un conocimiento

mutuo más profundo. Si esa meta se alcanza daremos al final gracias a Dios por el desacuerdo. La meta no es decidir quién *gana* o *pierde*. Tampoco es cambiar ideas o hábitos de nuestra pareja. Es lograr tener una mejor comprensión sobre cómo piensa nuestra pareja acerca del asunto que nos afecta.

Segundo, pedir a Dios que nos ayude a controlar nuestras emociones. Cuando estamos en el calor de la discusión se nos pueden escapar palabras que hieren bastante. Esas heridas tardan en curar. Uno de los frutos del Espíritu es el *dominio propio* y debemos permitir al Espíritu de Dios que manifieste en nosotros su serenidad y control aun en momentos de acusaciones injustas o provocaciones serias. Esto no quiere decir que hay que anular las emociones, pero sí que deben estar controladas.

Tercero, debemos atacar el problema en sí, no las personalidades o los motivos. Es fácil ser crítico durante una discusión y llegar incluso a acusar a la otra parte de mala intención. Si el esposo, por ejemplo, falla en hacer algo para la casa que ella esperaba, la esposa impaciente puede decirle injustamente: "No tienes interés en el hogar." Seguramente que ese no es el problema, pero semejante acusación puede traer dolor de corazón por largo tiempo. Cristo dijo: "Porque con el juicio con que juzgáis, seréis juzgados, y con la medida con que medís, os será medido" (Mt. 7:2).

Cuarto, recordemos que algunos arranques de enfado y mal humor contra nosotros son a veces provocados por situaciones ajenas a nosotros. Si la esposa, por ejemplo, ha tenido un mal día con la casa, las compras y los hijos, puede ocurrir que cuando el esposo llega a casa y deja su saco descuidadamente sobre el sofá sea aquello la chispa que provoca la explosión. Cuando por las circunstancias que sean estamos bien cargados, listos para estallar, nuestra pareja puede resultar la víctima inocente sobre la que se descargue la tormenta.

Si en vez de responder indignados ante semejante maltrato podemos escuchar calmada y pacientemente a nuestro cónyuge, el verdadero problema pronto dará la cara. Entonces podremos simpatizar con el estado de ánimo de nuestra pareja y no le daremos tanta importancia a su aparente inconsideración.

Quinto, cuando ha surgido un conflicto reconocer que muy probablemente nosotros mismos hemos contribuido de alguna manera a crear el problema. Enfoquémonos ante todo en nuestra parte de responsabilidad y no enfaticemos tanto lo que nuestra pareja hizo mal.

Sexto, practiquemos regularmente la llamada Regla de Oro que nos dejó Jesucristo, tal como se halla en Mateo 7:12. Tratemos a nuestra pareja como nosotros queremos ser tratados.

Séptimo, no mezclar con los nuevos problemas confictos antiguos que supuestamente están ya superados y olvidados. Los rencores y los resentimientos, cuando persisten, complican enormemente las nuevas desavenencias y discusiones.

Octava, reconocer que siempre se van a dar ciertas diferencias de opinión entre el hombre y la mujer, debido a que tienden a ver ciertas cosas de manera diferente.

Noveno, fijarse en las cualidades positivas de la otra persona y enfatizar más lo que se tiene de común que en las diferencias.

Décima, hay que aprender cuándo y cómo terminar una discusión. Algunas peleas parecen no tener fin. Si estamos equivocados debemos tener la grandeza y la fortaleza de reconocerlo. Si necesitamos tiempo para pensar más calmadamente en el asunto, busquemos ese tiempo de reposo y reflexión. Pero procuremos no eternizar las peleas.

Identifique sus áreas de conflicto

La gran mayoría de las parejas enfrentan de vez en cuando alguna desavenencia en sus relaciones. Señale abajo las áreas de posible conflicto con su novia/novio. Marque especialmente aquellas que son fuente de dificultades o de preocupación y dialoguen seriamente sobre dichas áreas con la ayuda de su consejero. Use esta escala de calificación:

1 = Siempre de acuerdo
2 = Frecuentemente de acuerdo
3 = A veces coincidimos
4 = Siempre en desacuerdo

1. Demostraciones de afecto   _____

2. Clase de amigos y vida social   _____

3. Uso del dinero   _____

4. Asuntos espirituales-religiosos   _____

5. Uso del alcohol, tabaco, etc.   _____

6. Forma de resolver los conflictos   _____

7. Forma de tratar y relacionarse
   con los padres o suegros   _____

8. Cómo disfrutar el tiempo libre   _____

9. Filosofía de la vida   _____

10. Metas de la vida   _____

11. Toma de decisiones importantes   _____

12. Orar y estudiar la Biblia juntos   _____

15. Papel de cada uno y reparto de tareas   _____

14. Método de educación y disciplina
de los hijos   _____

15. Dónde vivir y qué clase de casa y
mobiliario elegir   _____

Otros temas importantes para usted   _____

_____   _____

_____   _____

_____   _____

Sugiero que el varón vea el libro titulado *Liderazgo que perdura en un mundo que cambia,* por John Haggai, publicado por la Editorial Mundo Hispano, para ampliar estos pensamientos sobre el liderazgo en el hogar.

Hagan una lista de las tareas y responsabilidades de una familia y decidan quién se encargará de cada cosa. Cuando todo es responsabilidad de todos, nada es responsabilidad de nadie. Ya saben aquello de que "el uno por el otro, la casa sin barrer".

Notas

[1] Un excelente libro sobre el tema es *¿Diferencias personales? ¡Enfréntelas con amor!,* de David Augsburger, publicado por Editorial Mundo Hispano. No se cita directamente ningún pasaje de este libro, pero la chispa que prendió la inspiración para este capítulo proviene de él.

[2] *When You do not Agree: A Guide to Resolving Marriage and Family Conflicts* (Cuando no están de acuerdo: Guía para resolver los conflictos en el matrimonio y la familia) (Scottdale, PA.: Herald Press 1977), págs. 33, 34, 231. Usado con permiso.

11

¡No se olviden de los suegros!

Dejando aparte a políticos y sacerdotes, que han sido tradicionalmente el blanco preferido del humor popular, creo que después han sido los suegros el tema predilecto de los inventores de chistes. ¡Hay que ver la cantidad de bromas que se han gastado en relación con ellos y especialmente con las suegras! Pero reconozcamos que hay frecuentemente mucha exageración y malentendido en todo esto.

No olvidemos tampoco que los chistes saltan en ambas direcciones. Se cuenta de aquel suegro que guiñando un ojo y con una sonrisa picaresca solía decir: "El demonio tenía una deuda conmigo y me pagó dándome yernos y nueras."

Paco y Ester quizá ya hablaron entre ellos acerca de las relaciones con sus futuros suegros. Fueron sabios si lo hicieron. Porque no se nos escapa que los padres forman parte de nuestro círculo de relaciones significativas, y que de una u otra manera van a afectar las del matrimonio. También en esta área de relaciones se necesita desde el principio establecer buena comunicación. Una de las cosas que más duele a las personas y más daña a la pareja es estar en medio de las disputas y malentendidos de dos personas amadas, como pueden ser los padres y un esposo; o los padres y una esposa. ¿Qué hacer en estas situaciones tan dolorosas cuando cada parte amada tira de él o de ella para que se pongan a favor de uno o de otro? Por eso es tan importante que la pareja dialogue sobre cómo quieren relacionarse con los que van a ser sus suegros. Es lo que haremos en esta sesión.

Las familias que recibimos

Cada uno de nosotros creció en el seno de un grupo familiar que ha llegado a ser muy importante para nosotros. Allí aprendimos a pensar, sentir y actuar como individuos y también en relación con otros. Allí fuimos echando raíces y nos fueron saliendo también las alas. Allí desarrollamos paulatinamente esa madurez que nos lleva a la independencia física, mental, emocional y económica. Ese es el proceso normal de la vida que unos padres sabios apoyan y alientan.

Durante la adolescencia se aceleró ese proceso de independencia, y no sucedió sin cierta tensión con nuestros padres. Nosotros estamos más dispuestos a correr que ellos a soltar la cuerda. Este tira y afloja es absolutamente natural y normal, pues los padres con más conocimiento y experiencia de la vida quieren evitar a sus hijos riesgos innecesarios. Esta tensión la ilustró Jesucristo muy bien con su magistral parábola del Hijo Pródigo, que hallamos en el Evangelio de Lucas capítulo 15.

Poco a poco empezamos a desarrollar con nuestros padres y demás familiares una relación de adultos. Relación que va llegando a su plenitud cuando empezamos a pensar en crear nuestra propia familia y mostramos que somos capaces de sostenerla económicamente. Esa independencia económica es una de las facetas que hacen que los padres miren con más respeto y satisfacción a los jóvenes adultos y los vean capaces de volar por sí mismos.

Cuando un hijo ha disfrutado de este desarrollo normal que le lleva a ser un joven adulto capaz de funcionar por sí mismo en todos los órdenes de la vida, suele mirar a sus padres con respeto, gratitud y amor. Los ve en una luz diferente. Sabe de su humanidad con defectos y errores, pero también reconoce que se esforzaron con todo su corazón por dar a sus hijos lo mejor que eran y tenían. En consecuencia, desea mantener con ellos una relación cariñosa y fructífera que a ambas partes traiga gozo.

Al contraer matrimonio, ninguna de las partes debe pasar por alto que su pareja lleva consigo esa herencia y relaciones que no puede ni quiere olvidar. Son una parte tan importante de nuestra vida que nos lleva a ser muy sensibles a las actitudes calurosas, indiferentes o frías que nuestra pareja desarrolla hacia ellos.

Relaciones paterno-filiales enfermizas

A algunos jóvenes, sin embargo, se les hace muy difícil independizarse de sus padres. Bien porque sus padres procuran ese dominio y dependencia, o bien porque los mismos hijos no buscan una mayor independencia por inseguridad o inmadurez. De manera que las parejas que están pensando en casarse deben estar alerta a las posibles situaciones de dependencia enfermiza de los padres.

Es natural y lógico que los jóvenes adultos compartan planes con sus padres y les pidan su opinión. Pero aquellos que continúan descansando en la opinión de sus padres para tomar decisiones, y llevan a cabo lo que ellos recomiendan por encima y en contra del criterio de su pareja, están causando un gran daño al feliz establecimiento de su propia familia. Los jóvenes adultos que planean casarse deben empezar a apoyarse en ella o en él como su primera fuente de opinión y autoridad. Si no son capaces ahora de hacerlo, tampoco lo harán probablemente después. Esta dependencia de los padres será más tarde fuente de innumerables conflictos.

Cuando la decisión a tomar es de naturaleza moral o espiritual y la opinión de nuestros padres es la correcta, bien haremos en seguir su consejo. Hacer lo contrario, para mostrar que somos independientes y hacemos lo que nos parece, sólo pone de manifiesto una tremenda imprudencia. Pero gran parte de las decisiones que tenemos que tomar no son buenas o malas en sí; sólo representan maneras diferentes de ver y hacer las cosas. En esos momentos debe tenerse muy en cuenta la opinión de nuestra pareja y darle todo el valor que merece. No hacerlo será causa de muchas frustraciones y resentimientos, y va en contra del entendimiento y del futuro bienestar de la nueva familia.

Trabajen ahora individualmente sobre las siguientes tareas y tráiganlas preparadas para compartir la información y las opiniones en la próxima sesión.

Dialoguen inteligente, discreta, respetuosa y amorosamente sobre los resultados de su estudio, especialmente si salen algunos resultados negativos. Sean muy sensibles a los sentimientos de cada cual sobre la propia familia. Recordemos que, por muy feo

que sea un hijo, sus padres suelen amarlo siempre. De igual
manera, lo natural y normal es amar a nuestros padres sin
importar su condición social o sus defectos.

I. *Cómo son sus padres y suegros*

Sean muy sinceros en sus respuestas.
Utilicen la siguiente calificación 0 = Nada; 1 = Algo; 2 =
Bastante.

	Sus padres	Sus suegros
1. Buscadores de faltas	_____	_____
2. Se meten en nuestros asuntos	_____	_____
3. Son posesivos y protectores	_____	_____
4. Nos critican a nuestras espaldas	_____	_____
5. Insisten en hacer las cosas a su manera	_____	_____
6. Hablan demasiado	_____	_____
7. No escuchan	_____	_____
8. Celosos de los otros padres o de otras relaciones	_____	_____
9. Indiferentes hacia nosotros	_____	_____
10. Dependen en algún sentido de su hijo/hija	_____	_____

II. *Análisis de la actitud y de la relación con los propios padres.*

Use la siguiente escala de calificación:
0 = Nada; 1 = Algo; 2 = Bastante.

	El	Ella
1. Excesiva dependencia de los padres	_____	_____
2. Habla demasiado acerca de sus padres	_____	_____
3. Permite a los padres dominar	_____	_____

4. Excesivo deseo de agradar a
   los padres   _____   _____
5. Pone a los padres por encima
   de su pareja   _____   _____
6. Hace comparaciones entre su
   padre o madre y su pareja   _____   _____
7. Hace planes con sus padres sin
   consultar ni informar a su pareja   _____   _____
8. Es parcial a favor de sus propios padres   _____   _____

9. Critica a sus propios padres   _____   _____
10. Critica a los padres de su pa-
    reja   _____   _____

III. *Consideraciones generales*

1. ¿Cuáles son, en su opinión, los errores más comunes
   que se suelen cometer en la relación de los padres-
   suegros con la nueva pareja?_____

   _____

   _____

   _____

2. Si tiene alguna clase de problemas con sus padres o
   futuros suegros, indique claramente cuáles son _____

   _____

   _____

   _____

3. ¿Qué lecciones podemos aprender de las relaciones de
   suegros con yernos-nueras en los ejemplos que aparecen en los siguientes pasajes bíblicos?

   Génesis 26:34—27:46 _____

   _____

   _____

Exodo 18:13-24 _____

_____

_____

Rut _____

_____

_____

4. Teniendo en cuenta lo aprendido de la Biblia, ¿qué le
   diría a alguien que le pidiera consejo sobre cómo
   desarrollar buenas relaciones con los suegros? _____

   _____

   _____

   _____

5. Escriba una carta imaginaria a sus suegros expresándoles respeto y estima y comunicándoles la clase de
   relación que le gustaría tener con ellos.

6. Escriba una carta imaginaria a sus padres expresándoles
   reconocimiento y amor, y también sus puntos de vista
   sobre cómo le gustaría relacionarse con ellos y ellos con
   usted y con su pareja una vez que se haya casado.

7. ¿Qué significa para usted el "dejará a su padre y a su
   madre . . ." de Génesis 2:24; Mateo 19:5; Marcos 10:7;
   Efesios 5:31? Explíquelo lo más ampliamente posible

   _____

   _____

   _____

   _____

8. Diga *una* cosa que no le agrada de sus futuros suegros

   _____

   _____

   _____

9. Escriba *cinco* cosas que sí le gustan de sus futuros suegros

   (1) _____

   (2) _____

   (3) _____

   (4) _____

   (5) _____

10. Indique en qué forma quiere y puede ayudar a sus padres y suegros en el caso de que ellos precisen algún

    tipo de ayuda _____

    _____

    _____

A modo de conclusión, podemos decir que un matrimonio feliz comienza cuando te casas con la persona que amas. Y un matrimonio maduro se alcanza cuando no solamente amas a tu cónyuge, sino también a su familia.

Es sólo una media verdad cuando alguien dice: "Yo me voy a casar con él o ella, no con su familia." Su boda no será solamente asunto de ustedes, sino de dos familias, porque nadie se casa en el vacío. Las bodas y los matrimonios son en realidad asuntos de familia. Esa ampliación del círculo familiar puede ser, y es el propósito de Dios que sea, una tremenda fuente de inspiración, apoyo, fortaleza y felicidad.

12

Tiempo de decidir

Todo tiene su tiempo, y todo lo que se quiere debajo del sol tiene su hora.

Eclesiastés 3:1

Paco y Ester están llegando al final de las sesiones de orientación prematrimonial. Trabajaron duro durante estas semanas, pero se encuentran satisfechos por las reuniones en sí y por los resultados. El esfuerzo mereció la pena. Lo notan en sí mismos. Son conscientes de que han profundizado bastante en su mutuo conocimiento y en su relación. Se dan cuenta también de que ahora se hallan en mejores condiciones para tomar una decisión definitiva. Están más decididos que nunca a unir sus vidas en matrimonio. Así se lo confirman al pastor y aprovechan esta sesión para hablar acerca de la ceremonia de boda.

Pero no en todos los casos es así. Al llegar a este punto, más de una pareja se da cuenta de que ellos realmente no están listos para el matrimonio y lo aplazan o lo dejan definitivamente. Su decisión es *no* casarse, al menos por el momento. Su esfuerzo en estas semanas de reflexión y diálogo resultó también beneficioso.

Yo sé que si esa fue su decisión, les resultó bien difícil y dolorosa. Pero más vale hacerlo así ahora, que no seguir adelante con un proyecto de vida tan importante y trascendente cuando no se está de verdad convencido de que esta boda es lo que más les conviene a los dos. Estén seguros de que a la larga esa será la mejor decisión y la más beneficiosa para ambos.

Asegúrense, sin embargo, de que sus razones para aplazarlo o dejarlo son las correctas. Sean conscientes de que frente a las

97

grandes decisiones de la vida solemos experimentar una ambivalencia de emociones. A veces nos sentimos bien firmes y en otras
titubeamos. A medida que se acerca el momento crítico experimentamos algunas dudas. Creo que esto es muy humano y
normal. Recordemos que casarnos es una de las decisiones más
serias que podemos tomar en nuestra vida. Se van a producir
cambios importantes en nuestra existencia. Vamos a disfrutar de
privilegios pero también nos van a caer encima fuertes responsabilidades. Así que, hasta cierto punto, es lógico y comprensible
experimentar tal ambivalencia de sentimientos. Pero cuidado, no
sea que vean gigantes por todas partes como los doce espías que
fueron enviados por Moisés a explorar la tierra prometida.
Frecuentemente los fantasmas están en nuestro cerebro.

Pero si sus dudas son serias y persistentes, no vacile en
hablar sobre el particular con su consejero. Lo que está en juego
es trascendente para usted y su novia/novio. La duda y la
incertidumbre no son buenos fundamentos para edificar la
relación matrimonial.

Lo más normal es que usted y su pareja, sobre todo después
de este tiempo de reflexión y diálogo, se reafirmen como Paco y
Ester en su propósito de casarse y que ultimen los preparativos
para la boda.

Repasen con su novia/novio y su consejero el siguiente
resumen de las enseñanzas bíblicas básicas sobre la relación
matrimonial. Fijen claramente en su mente y corazón los
conceptos que el Señor quiere impartirnos en estas partes de su
Palabra.

1. Y dijo Jehová Dios: No es bueno que el hombre
   esté solo; le haré ayuda idónea para él (Gn. 2:18).

2. Por tanto, dejará el hombre a su padre y a su
   madre, y se unirá a su mujer, y serán una sola
   carne (Gn. 2:24).

3. El que halla esposa halla el bien, y alcanza la
   benevolencia de Jehová (Pr. 18:22).

4. Honroso sea en todos el matrimonio, y el lecho sin
   mancilla . . . (He. 13:4).

5. Vosotros, maridos, igualmente, vivid con ellas
   sabiamente, dando honor a la mujer como a vaso
   más frágil, y como a coherederas de la gracia de la

vida, para que vuestras oraciones no tengan estorbo (1 P. 3:7).

6. Las casadas estén sujetas a sus propios maridos, como al Señor; porque el marido es cabeza de la mujer, así como Cristo es cabeza de la iglesia, la cual es su cuerpo, y él es su Salvador. Así que, como la iglesia está sujeta a Cristo, así también las casadas lo estén a sus maridos en todo. Maridos, amad a vuestras mujeres, así como Cristo amó a la iglesia, y se entregó a sí mismo por ella (Ef. 5:22-25).

7. Mujer virtuosa, ¿quién la hallará? Porque su estima sobrepasa largamente a la de las piedras preciosas. El corazón de su marido está en ella confiado, Y no carecerá de ganancias. Le da ella bien y no mal Todos los días de su vida (Pr. 31:10-12).

   Fuerza y honor son su vestidura; y se ríe de lo por venir. Abre su boca con sabiduría, Y la ley de clemencia está en su lengua. Considera los caminos de su casa, y no come el pan de balde (Pr. 31:25-27).

8. Respondió Rut: No me ruegues que te deje, y me aparte de ti; porque a dondequiera que tú fueres, iré yo, y dondequiera que vivieres, viviré. Tu pueblo será mi pueblo, y tu Dios mi Dios (Rut 1:16).

9. El amor es sufrido, es benigno; el amor no tiene envidia, el amor no es jactancioso, no se envanece; no hace nada indebido; no busca lo suyo, no se irrita, no guarda rencor; no se goza de la injusticia, mas se goza de la verdad. Todo lo sufre, todo lo cree, todo lo espera, todo lo soporta (1 Co. 13:4-7).

Reflexione después sobre su ceremonia de boda. Lo que quiere que represente. Lo que desea que diga a las personas que acudan al templo. Dedique tiempo a pensar en las promesas que quiere intercambiar con su pareja. Recuerde que una ceremonia de boda cristiana es un acto de adoración y de testimonio público. El pueblo de Dios va a estar presente acompañándoles para dar gracias por el don del matrimonio y para ser testigos de sus votos matrimoniales. Es un acto de adoración y de testimonio en el que ustedes van a dar gracias a Dios el uno por el otro y se van a unir en un compromiso de por vida. No olvide que van a entrar al templo *como dos* y saldrán *como uno*. Dos personalidades distintas fundidas en un proyecto de vida común en el que van a procurar con toda su voluntad y fuerzas ser de una misma mente y de un mismo corazón.

Desde hace algunos años a esta parte las parejas participan cada vez más activamente en su propia ceremonia de bodas. Está bien si ustedes aceptan la forma tradicional de celebrar la boda. Pero no debe haber inconveniente en introducir algunos cambios que le den una variedad y toque personal enriquecedores. A veces las parejas quieren aprovechar el momento y explicar ellos mismos a la audiencia el significado de su matrimonio cristiano. Otras veces los novios dedican unos minutos a dar las gracias a sus padres y a la congregación por su amor y apoyo a lo largo de sus años de vida. En otras ocasiones ellos elaboran, en cooperación con el ministro oficiante, sus propios votos para hacerlos así más personales y significativos. En fin, si todo se hace con contenido y sentido bíblico, y decentemente y con orden, no hay razón para privar a una pareja de dar a su boda una nota de distinción personal.

Conversen con el pastor y pónganse de acuerdo con él acerca de la ceremonia, los votos, los anillos, la música, el enfoque de la predicación, la actuación del fotógrafo, el arreglo floral y cualquiera otra participación, aspecto o detalle que estimen oportuno. Repásenlo y ensáyenlo convenientemente. Recuerden que de lo solemne a lo ridículo hay sólo un paso. Alguna vez ha sucedido, por ejemplo, que se ha caído o extraviado un anillo y ha resultado muy embarazoso para todos ponerse a buscar el anillo en ese momento tan crítico. Quizá un detalle así arruina todo el buen efecto de testimonio que la ceremonia iba teniendo en los asistentes. Cuiden y ensayen todos los aspectos y detalles.

Otro asunto muy importante al que deben dedicar toda la atención y tiempo que merece es planear bien su luna de miel. Seguramente que ustedes ya lo han hecho. Disfruten intensamente la emoción de preparar sus primeras vacaciones, como marido y mujer.

Lo normal es que la luna de miel, cuando está bien planificada, resulte en una experiencia gratificante e inolvidable para ambos. Pero no en todos los casos termina así. Para algunos se convierte en una pesadilla. Algunas veces a causa de la tensión y cansancio acumulados a lo largo de semanas de preparativos, otras motivadas por impaciencia o por ignorancia de la técnica sexual, y otras veces por otras razones, la luna de miel resulta en una experiencia poco gozosa.

Esta es una oportunidad de oro para practicar todo lo aprendido acerca de la comprensión, la paciencia, el dominio propio, la ternura, el amor y el perdón. Si surge alguna dificultad, no la dejen sin resolver. Aprendan a enfrentar y resolver los problemas desde el principio. No olviden que una pequeña chispa puede encender un gran fuego. O como dice Cantar de los Cantares, en 2:15: Cuidado con las pequeñas zorras que echan a perder las viñas. Esas pequeñas zorras que se burlan de todas las vigilancias y defensas establecidas y entran en la viña y se comen los mejores racimos. No permitan que las pequeñas zorras destruyan sus mejores momentos.

13

Después de la luna de miel

No os conforméis a este siglo, sino transformaos
por medio de la renovación de vuestro entendi-
miento, para que comprobéis cuál sea la buena
voluntad de Dios, agradable y perfecta
Romanos 12:2

Hace ya seis meses que Paco y Ester se casaron. La boda fue, sin duda, un momento cumbre en sus vidas. Ester, con sus mejillas arreboladas por las mil emociones que embargaban su alma, con su vestido de novia tan fino y sonriendo con todo su ser, estaba preciosa. Parecía una princesa recién llegada de un país encantado. A Paco se le veía muy en su papel de novio, rebosante de alegría y transmitiendo, a la vez, una imagen de seriedad y hombría.

La ceremonia resultó bonita y emocionante. Los participantes en la boda quedaron gratamente sorprendidos e impresionados por el tono consciente y responsable con que Paco y Ester pronunciaron sus votos de amor y fidelidad. Todos les dieron el parabién y les desearon felicidad.

Ahora de vez en cuando revisan el álbum de fotografías y reviven los diferentes momentos de la boda. Lo recuerdan todo con gozo y gratitud. También se dan cuenta de que durante aquellos días vivieron un poco como en las nubes. ¡Eran tan grandes su ilusión y emoción!

Pero la vida real se va imponiendo cada vez más con sus rutinas cotidianas. Ahora están pisando el terreno, a veces áspero y duro, de las realidades de la existencia humana. Enfrentan largas jornadas de trabajo y la tensión de ingresos limitados y gastos que parece no tienen fin. Alguna vez se quema alguna comida y se rompe algún plato. Surgen las pequeñas equivocaciones y errores y los pequeños malentendidos. Nada importante. Son las pequeñas zorras de las que habla el autor de Cantar de los Cantares. Se descubren algunos defectillos en la naturaleza de cada uno. Ester, para su sorpresa descubre que su Paco ronca . . . y ¡de qué manera! Paco también va descubriendo que su Ester tampoco es perfecta.

Todo se mezcla a veces con ingredientes que combinan mal para producir gozo, como son el cansancio, el desánimo, el aburrimiento, el mal humor. En fin, la vida matrimonial les está resultando una experiencia muy positiva para su desarrollo y realización como seres humanos, *pero no todo es de color de rosa.*

Metidos en ese cúmulo de circunstancias normales de la vida, el riesgo es olvidarnos poco a poco de nuestros ideales, metas y promesas. Olvidarnos de lo aprendido durante el período de aconsejamiento prematrimonial. Eso es lo que el diablo quiere que suceda. Y si no nos cuidamos puede suceder. Las palabras del Señor Jesucristo se hacen muy necesarias aquí: "Velad y orad, para que no entréis en tentación; el espíritu a la verdad está dispuesto, pero la carne es débil" (Mt. 26:41). Siempre hemos oído decir que el precio que hay que pagar por la libertad es la vigilancia continua. Esto también se aplica a la vida matrimonial: el precio de estar libres de dificultades y problemas es la constante vigilancia.

Ahora que ya han pasado seis meses desde su casamiento es bueno sentarse y revisar cómo han funcionado como matrimonio. En los vuelos espaciales, en los que tantas cosas importantes están en juego, los responsables del proyecto analizan periódicamente la situación y ordenan las correcciones que sean necesarias. A veces hay desvíos en la dirección y esto es muy serio, pues un desvío puede significar la pérdida total del proyecto. Las parejas también deben revisar su plan de vuelo y establecer las correcciones pertinentes. Su destino es la felicidad, no es el perderse en el vacío de la frustración.

Dedíquense a ustedes mismos unas horas y junto con su consejero reflexionen y dialoguen sobre los diferentes aspectos de su vida matrimonial que plantea el siguiente cuestionario. Como bien saben de sus experiencias anteriores, no será tiempo perdido. Recuerden las palabras del apóstol Pablo citadas en la cabecera de este capítulo: "No os conforméis . . . sino transformaos por medio de la renovación de vuestro entendimiento." El matrimonio demanda constante renovación.

Su inventario matrimonial

Nombres: _____

Lugar y fecha: _____

Respondan escribiendo en el espacio indicado: Sí, A veces, No.

1. ¿Leen la Biblia y oran juntos? _____

2. ¿Adoran a Dios juntos con otros creyentes? _____

3. ¿Sirven juntos a Dios en actividades que edifican a la iglesia y honran a Cristo? _____

4. ¿Se manifiesta en maneras prácticas que Cristo es Señor en su matrimonio? _____

5. ¿Hacen de su relación matrimonial un asunto prioritario? _____

6. ¿Buscan agradarse el uno al otro? _____

7. ¿Se tratan el uno al otro con respeto y dignidad? _____

8. ¿Buscan hacer cosas juntos y disfrutan estando juntos? _____

9. ¿Admiten sus errores cuando se equivocan? _____

10. ¿Son comprensivos y tolerantes con las equivocaciones del otro? _____

11. ¿Se piden perdón cuando se han equivocado u ofendido? _____

12. ¿Pueden discutir y diferir en puntos de vista sin enojarse, mostrarse groseros o castigar de alguna manera a la otra parte? _____

13. ¿Se enfocan en, y enfatizan las virtudes de cada uno más que los defectos? _____

14. ¿Se expresan apreciación y gratitud frecuentemente y en maneras prácticas? _____

15. ¿Se entienden uno al otro cuando están tratando de expresarse? _____

16. ¿Se comunican el uno al otro en forma amplia y significativa sus ideas, planes, _____

aspiraciones, temores, sentimientos, gustos,
disgustos, puntos de vista, problemas, dificultades, gozos, frustraciones, etc.?

17. ¿Edifican su relación en decirse siempre la   _____
    verdad? ¿Pueden confiar plenamente en lo
    que se dicen el uno al otro?

18. ¿Se sienten orgullosos y dichosos de presen-   _____
    tar en todas partes a su pareja como su
    esposa/esposo?

19. ¿Se controlan bien cuando están de mal   _____
    humor, de manera que su estado de ánimo
    no interfiera con sus relaciones?

20. ¿Tienen una buena relación con sus respec-   _____
    tivos suegros y demás familiares cercanos?

21. ¿Administran bien sus ingresos?   _____

22. ¿Están de acuerdo en cómo gastar el dinero?   _____

23. ¿Son satisfactorias para ambos sus relacio-   _____
    nes sexuales?

24. ¿Enfrentan y resuelven satisfactoriamente   _____
    los problemas y dificultades que surgen?

25. ¿Coinciden en cuántos hijos tener, cuándo   _____
    tenerlos y cómo educarlos?
    Otras cuestiones que sean de particular
    interés para ustedes

26. _____   _____

27. _____   _____

28. _____   _____

29. _____   _____

30. _____   _____

Repasen cuidadosamente sus respuestas, fíjense especialmente en aquellos puntos cuyas respuestas sean "A veces" o
"No". Reflexionen sobre la razón de esa pobre calificación y sobre
sus implicaciones en su vida matrimonial. Gócense y enfaticen
continuamente aquellos aspectos en los que claramente han
respondido "Sí".

Sus respuestas de "A veces" o "No" son como síntomas que
hablan de que algo no funciona bien. Bien saben que cuando los
males se descubren a tiempo y se tratan adecuadamente es

relativamente fácil corregirlos, pero si los dejamos crecer pueden llegar a destruirnos. ¡Nunca dejen crecer las dificultades! ¡Atájenlas a tiempo!

El último ejercicio en este tiempo juntos es hacer una lista de, al menos, quince maneras diferentes en que se expresan su amor el uno al otro.

Realicen esta tarea individualmente y luego compartan los resultados. Deje ver a su pareja la lista elaborada y déjele que diga sinceramente si reconoce dichas acciones como expresiones de amor y si las ve suficientes para satisfacer sus necesidades.

El

Expreso mi amor a mi esposa de las siguientes maneras:

1. _____
2. _____
3. _____
4. _____
5. _____
6. _____
7. _____
8. _____
9. _____
10. _____
11. _____
12. _____
13. _____
14. _____
15. _____

ELLA

Expreso mi amor a mi esposo en las formas siguientes:

1. _____
2. _____

3. _____
4. _____
5. _____
6. _____
7. _____
8. _____
9. _____
10. _____
11. _____
12. _____
13. _____
14. _____
15. _____

Epílogo

En las últimas décadas hemos visto y sentido los cambios padecidos por la estructura familiar. Hemos sabido también de muchos hogares rotos y de infinidad de vidas transtornadas y dañadas. Pero a pesar de todos los cambios y de las muchas dificultades, la familia sigue siendo uno de los grandes valores y metas de la humanidad. La tendencia natural, lógica y constante del ser humano es hacia la familia: crear familia y convivir en familia.

Vaya usted a cualquier calle de la ciudad donde vive, detenga a unos cuantos hombres y pregúnteles algo así: "¿Qué prefiere usted, un hogar feliz y un trabajo de poco éxito e ingresos o un trabajo de éxito y buenos ingresos y un hogar desgraciado?" Pídales que lo piensen bien antes de responder.[1]

Me atrevo a afirmar que todos o, al menos la gran mayoría, dirá: "Es una decisión difícil, pero prefiero un hogar feliz." Esto le confirmará que, en general, los hombres prefieren ante todo disfrutar de un hogar estable y bien avenido. Le confirmará también que la felicidad matrimonial es una de las metas más deseadas y buscadas.

Y no hace falta que pregunte a las mujeres, porque la inmensa mayoría se decide por el hogar.

Tres cosas están afectando seriamente hoy la convivencia familiar. Una, la falta de una voluntad de compromiso. Otra, el olvido de Dios como parte integrante vital del grupo familiar. Y tercera, muchos por el fracaso de sus padres carecen del tremendo beneficio de un modelo de hogar amoroso y estable que pueda ser imitado. Ninguna de estas cosas puede suceder sin daño grave para las personas.

La gente huye de los compromisos. No importa qué compromiso, la tendencia es evitarlos a toda costa. Somos buscadores de situaciones flexibles que permitan el escape. Olvidamos que existen ciertas relaciones que no admiten esa flexibilidad. La relación con Dios, el amor y fidelidad a la patria y la vinculación matrimonial constituyen compromisos que demandan actitudes bien firmes y decididas. A toda persona íntegra le cae mal el ciudadano parásito o traidor. La patria podrá tener sus defectos, pero hay que luchar siempre por ella con generosidad, honradez y valor.

La familia tampoco nos ofrece situaciones perfectas, debido a nuestra condición pecadora. Pero es un proyecto de vida tan importante y de tanto valor que demanda una actitud de compromiso fiel y tenaz. Y es digno de ello. Aquí no hay lugar para las actitudes flexibles de "vamos a probar y si no resulta, ahí tenemos la vía rápida de escape de la separación o el divorcio". Esa actitud de escape lleva en sí misma las semillas de la derrota. Y así existen tantos derrotados.

Procuramos a lo largo de este libro serle franco y decirle que la vida matrimonial no es una empresa fácil. Pero también queremos insistirle en que, después de su experiencia personal con Dios, no encontrará nada más estimulante y gratificante en la tierra que la vida familiar. Ningún otro éxito en la vida podrá ofrecerle una sensación de mayor plenitud que una vida familiar feliz y serena; ni nada podrá compensarle tampoco en este mundo del fracaso en su proyecto de edificar un hogar.

El otro factor que contribuye enormemente a la destrucción de la familia es el olvido de Dios. La tendencia humana es a olvidarse de la relación personal e íntima con Dios. A olvidarnos del papel indispensable del Señor en la edificación feliz del hogar y en el éxito del matrimonio. Pronto queda relegado a una rutina más, vacía ya de significado vital, o queda permanentemente eliminada de nuestro vivir diario. No podemos darnos el lujo de prescindir de Dios y pretender que el edificio del hogar se sostenga firme ante las tormentas de la vida. Eso es construir sobre la arena. A cualquier edificador le es imprescindible la roca para los cimientos y el cemento para sostener las paredes en pie y unidas entre sí. El Señor es la roca y el cemento que sostiene el hogar.

Y, por último, cuando carecemos de un modelo de hogar sano e íntegro que transmite salud a todos sus miembros, los resultados son personas enfermas que originan hogares enfermos. Hay que frenar esa epidemia de hogares enfermos y enfermantes. Si ocurre que usted es una de esas personas sin modelo adecuado y con heridas en su personalidad, pido a Dios que por medio de estas páginas y a través de estas sesiones haya encontrado ayuda y sabiduría para crear su propio hogar conforme al modelo de Dios.

Como habrá observado, uno de los beneficios de la orientación prematrimonial es la identificación de los aspectos negativos de la personalidad de cada uno. Esas actitudes o tendencias actúan en nosotros y crean muchas dificultades hasta que son cambiadas. La reflexión, el diálogo y la orientación experta pueden ayudar mucho.

Confío también en que hayan llegado a ese punto en que descubran que pueden estar en desacuerdo, e incluso discutir con cierto calor, y todavía respetarse y quererse el uno al otro. Esto no es fácil para nuestro orgullo humano, pero es posible. Yo podría contarles algunas experiencias personales.

Mi oración y deseo es que tengan éxito y que sean felices, con una felicidad estable y constante. En la esperanza de que lo sean les dedico este trabajo.

Les agradeceré la bondad de hacerme llegar sus impresiones y comentarios sinceros acerca del valor de este libro para su orientación prematrimonial. Todo el esfuerzo habrá merecido la pena si llego a saber que este librito contribuyó a que ustedes se conocieran mejor, tuvieran menos dificultades en su relación, fueran más felices y a que edificaran su hogar sobre la roca (Mt. 7:24-29).

¡Ah, y no olviden de enviarme una invitación a la boda! Mi dirección es

> José Luis Martínez
> P. O. Box 4255
> El Paso, Texas 79914, U.S.A.

Notas

[1] Esta idea se le ocurrió a David Mace y la llevó a cabo, con los resultados que se indican en los párrafos que siguen.

**Otros libros de
Editorial Mundo Hispano
que recomendamos como lectura adicional**

1. *Cómo ser feliz en el matrimonio*
   Elam J. Daniels
   Art. Núm. 46066

2. *Hechos el uno para el otro*
   John W. Drakeford
   Art. Núm. 46256

3. *La amistad: Factor decisivo en las relaciones humanas*
   Alan Loy McGinnis
   Art. Núm. 46093

4. *Liderazgo que perdura en un mundo que cambia*
   John Haggai
   Art. Núm. 46110

4. *¿Diferencias personales? ¡Enfréntelas con amor!*
   David Augsburger
   Art. Núm. 46098

6. *La superación: Cómo se logra en otros y en nosotros*
   Alan Loy McGinnis
   Art. Núm. 46107

7. *¡Sea alguien! Cómo lograr lo mejor de uno mismo*
   Alan Loy McGinnis
   Art. Núm. 46115

8. *Domine las tensiones*
   W. Phillip Keller
   Art. Núm. 46094

9. *Nos veremos en la cumbre*
   Zig Ziglar
   Art. Núm. 46100

10. *Siete necesidades básicas del niño*
    John M. Drescher
    Art. Núm. 46085